# LES DAMES DE NAGE

DU MÊME AUTEUR

*Le Marin à l'ancre*, Métailié, 2001
*Les Hommes à terre*, Métailié, 2004

*Contes d'Humahuaca*, Seuil/Métailié, 2002

*Transamazonienne*, Odyssée, 1992
*Ailleurs : peintures d'Olivier Suire Verley*, PC, 2003

Bernard GIRAUDEAU

# LES DAMES DE NAGE

*(Roman)*

Éditions Métailié
5, rue de Savoie, 75006 Paris
www.editions-metailie.com
2007

ISBN : 978-2-86424-614-5

*"Il y a quelque chose de plus important que la logique, c'est l'imagination."*

Alfred Hitchcock

Je peux voir la canopée comme des vagues immobiles auxquelles seul le vent de la montagne donne une vie de mer sombre. Il traîne des brumes alanguies que le soleil levant finit toujours par enflammer. Au-delà il y a un grand fleuve et bien au-delà la mer, la vraie, l'infinie, qui se dessine parfois comme un trait de lumière pour souligner l'indéfini du ciel. J'aime cet endroit comme une escale de paix. Je suis un égaré ayant décidé de se poser, de rester là dans chaque instant des souffles. J'écoute l'oiseau, un chant sur la page de silence. A la fin du jour il y a celui des voix de la vallée, isolées comme des notes échappées. J'apprends l'attente, celle de l'instant, celle de la pluie, des jours à venir, de la nuit, de la première étoile, celle du feu pour les repas et pour réchauffer les soirs. J'attends sans impatience, en vivant l'instant comme une éternité. Ajouté à ce bonheur, il y a l'inattendu de cette vie là-haut, les coups de vent soudains qui annoncent l'orage. Il y a alors une plainte rugueuse des écorces blessées, un bavardage précipité du feuillage sous les ailes sombres des nuages, et je me régale d'un poignard de feu, derrière les voiles d'eau. Il me semble que ces instants-là ne peuvent finir. Tous les soirs avant la noyade solaire, quand l'ombre du petit sycomore s'étire en géant, je m'assois sur le tronc couché qui barre le sentier. J'ai alors, comme le veilleur, le sentiment de garder un territoire.

# 1

J'étais petit, assis sur le bord du lit, j'écoutais ce qu'on disait, que l'âme était plus importante que le corps, l'esprit aussi, enfin les deux. L'âme, l'esprit, c'était pareil, c'est ce qu'on disait. J'écoutais. C'est le corps qui meurt, pas l'âme ni l'esprit, disait Grand-mère. Le corps n'est qu'une enveloppe sans importance qui disparaît avec le temps mais l'âme est éternelle. Elle se balade dans l'univers. Là-haut, débarrassée de son corps, elle est la parfaite lumière. J'écoutais en regardant par la fenêtre Amélie qui avait treize ans et jouait avec sa petite sœur sur le trottoir. Elle était jolie avec son âme cachée dans son corps. Je ne savais pas si son âme était belle, parfaite, lumineuse. Je ne la voyais pas. Mais Amélie était pour moi ce qu'il y avait de plus beau dans l'univers. Son corps était parfait et elle était ma lumière. Elle avait un grand cou pour poser des baisers et des cheveux blonds, doux, dans lesquels parfois, quand elle voulait bien, je cachais mon visage. Ses yeux verts me donnaient des frissons et j'aimais comme elle me regardait en caressant ma joue. Elle ne marchait pas, elle dansait, elle glissait plutôt. Elle se balançait doucement comme un épi. Et quand mon père lui parlait, elle avait les joues coquelicot. Un jour que je faisais semblant de dormir, j'avais posé ma main sur sa cuisse. Elle était dure et chaude et j'avais ressenti dans le ventre une douleur qui faisait du bien. Grand-mère répétait : "C'est pour cela qu'il ne faut pas avoir peur de la mort, le corps n'est rien, il se dissout mais l'âme reste et nous

13

nous retrouvons tous ensemble pour une ronde éternelle des âmes."

J'écoutais sans rien lui dire. Je pensais seulement à ce corps contre lequel je ne pourrais plus me caresser, ce corps qui me laissait poser ma bouche sur sa chemise à l'endroit où ses seins poussaient. Ça fait chaud, disait-elle. Oui, ça faisait chaud. Elle riait. "Pourquoi tu pleures?" m'avait dit Grand-mère. "Pourquoi il pleure, ce gosse?" Ma mère était entrée. "Pourquoi tu pleures?" Qu'est-ce que j'aurais pu répondre? Que je me fichais pas mal de l'âme d'Amélie, qu'elle était parfaite et que son âme ne lui arrivait pas à la cheville qui était la plus belle cheville du collège Pierre Loti? Je pleurais. C'était un gros chagrin irrépressible. Je ne voulais pas imaginer que le corps d'Amélie puisse se dissoudre. Je ne le pouvais pas, elle était éternelle. J'ai rien dit de mal pourtant, disait grand-mère, et elle m'avait serré dans ses bras contre son gilet gris trop rêche. A travers mes larmes, je voyais la chevelure d'Amélie, ses reins qui se cambraient sous le poids de sa petite sœur. Elle se renversait comme une gerbe. Je les entendais rire. J'aurais voulu ne pas être contre la poitrine avachie de Grand-mère, contre son gilet gris, dans cette odeur indéfinissable des fins de vie. Elle allait se dissoudre, elle, j'en étais certain. Je mourais d'envie d'aller poser ma bouche sur les épaules brunes d'Amélie, de baiser son cou, d'enfouir enfin mon visage dans ses cheveux, de poser ma main sur sa cuisse chaude, tout garder d'elle et surtout ne pas laisser échapper la petite âme qui se cachait dans cette parfaite lumière qu'était Amélie. Amélie âme et lit.

C'est à cette époque, je crois, que j'ai eu fiévreusement envie d'écrire au monde, pas aux gens, non, au monde. "Cher monde…" J'ai plusieurs fois écrit avec application, sur mon cahier d'écolier, ce début prometteur d'une lettre dont je n'arrivais pas à synthétiser le contenu d'un sens qui m'échappait encore et ne me serait peut-être jamais révélé. C'était d'une grande naïveté mais je voulais écrire au monde. C'était un élan de juvénilité désarmante. Parfois, je me plantais dans le jardin de terre noire du marais à écouter les peupliers et les poules d'eau, ou bien sur les quais face au large avec un bon vent dans la gueule et là je récapitulais ce que j'allais lui écrire. J'en avais, des choses à lui dire. Cher monde... Une voix comme un coup de fusil finissait toujours par me demander ce que je faisais, à quoi je pensais, ma mère, un copain, la voisine. Je répondais : "Rien." Je n'aurais jamais osé dire que je pensais au monde avec ce désir fou de lui écrire une lettre, une lettre de foi et d'amour. Qui aurait compris que je voulais les bras du soleil pour enlacer la terre et serrer le monde contre moi ? Je sentais bien déjà que c'était emphatique, même si je ne connaissais pas encore ce mot. Je devinais également l'inutilité de ce courrier sans adresse. A quoi tu penses ? A rien.

Viens déjeuner. Il y avait sur la table une lettre de mon père qui était en Algérie. Son monde à lui, c'était nous. Il fait quoi, papa ? La guerre ! La guerre à qui ? Maman était restée un instant dans le vide, elle se raccrocha à "ennemi". Il fait la guerre à l'ennemi, voilà ! C'est qui, l'ennemi ? Heu... des gens qui veulent pas être français. Je fixais la lettre de papa avec son écriture appliquée, ronde, parfaite.

Plus tard, sur les glaces du Tronador, à la frontière du Chili et de l'Argentine, je regardais le soleil se lever sur la chaîne andine et la lune de l'autre côté qui se faisait aussi grosse que lui pour se poser sur le Pacifique. J'étais resté haletant, avec une haleine en cristaux, les crampons dans une neige éternelle. Là encore, j'avais voulu écrire au monde. Il était beau, nom de Dieu ! Alors, il fallait lui dire. On oublie toujours de dire qu'on aime.

Cher monde... Mais comment lui écrire avec des moufles de haute altitude ? Un bruit de sérac et une odeur de soufre nous avaient conseillé de décamper vers la vallée des hommes. Des pans de glace s'effondraient et le volcan allait peut-être se foutre en colère. J'avais décidé de sauver ma peau que la montagne avait en appétit et j'avais remis ma lettre à plus tard. Il y eut d'autres fois bien sûr, mais il y avait toujours un incident pour me détourner de cette relation épistolaire que je voulais entretenir avec le monde. C'était un tremblement de terre en Arménie, une inondation au Bangladesh, un massacre au Rwanda, la faim en Somalie, toujours quelque chose, suffisamment pour me faire oublier cette bonne résolution qui était d'écrire au monde. Cher monde... Un soir, un peu triste, j'ai même voulu écrire à l'humanité. Chère humanité... La feuille blanche me regardait en attendant la suite. Je devais faire la grimace. Elle était tétanisée.

Quelques années plus tard, j'ai revu Amélie. La différence d'âge était moindre, j'avais vingt ans, elle vingt-six. Tu me reconnais ? Bien sûr, me dit-elle. Nous avons pris un café. Je lui ai raconté ce jour où j'avais pleuré. Elle me regarda. C'était le même regard avec des yeux verts, à mourir. J'ai compris qu'elle voulait que je pose ma bouche sur sa poitrine, ma tête dans ses cheveux et mes mains sur ses cuisses. Je l'ai aimée comme un enfant, comme un homme, comme je n'ai jamais plus aimé. Amélie, lit de mon âme, lui avais-je dit. Elle avait ri. Elle s'est dissoute un jour dans une eau claire. C'était dans un cristal d'émeraude glacé. Elle repêchait des statuettes chinoises sur une épave, une jonque du XIVᵉ siècle. J'ai gardé une petite figurine de jade et d'ivoire. Je la caresse dans ma poche.

J'ai continué à grandir sans elle, bien sûr, avec ce don qu'elle m'avait fait dès l'enfance de cette découverte sans cesse renouvelée de l'amour. Tout au long de ma vie j'ai aimé les nuques déliées, les femmes comme des gerbes et le secret des graines dans les épis. Elle m'a éveillé petit, et initié à vingt ans. Elle s'est prolongée en moi jusqu'à ce jour. J'ai gardé de l'enfance, et d'Amélie, ils sont liés, l'amour de l'inconnu à défricher, avec la peur au ventre comme une jouissance. Ce n'est pas l'amour de l'exotisme comme dit Le Clézio, les enfants n'ont pas ce vice. Non, c'est le bonheur immédiat, sensuel, d'une ruelle de village africain, ou andin, c'est de respirer des parfums étranges et parfois reconnus, humer comme l'étalon les vastes plaines, attaquer les pentes montagneuses sous les nuées, c'est la menthe sauvage au petit matin, le thym écrasé, l'herbe fraîche à peine fauchée. J'ai gardé ce plaisir à rejoindre aux premières lueurs les landes fumeuses, les bords de mer encore mauves abandonnés par les hordes humaines. J'aime les silhouettes des arbres, l'élégance des ramures au milieu des prairies, les ombres sur les dunes sahariennes, les villages flottants sur les lacs cambodgiens. Je donnerais toutes les suites du Carlton pour un bivouac et un feu de bois sec, pour de l'eau fraîche au creux des mains à faire ruisseler sur le torse nu, pour les frissons de bonheur aux premières lueurs. Rien n'effacera sur les bancs de l'école l'attente rêveuse du dimanche à venir avec la promesse d'une immersion dans les feuillages d'automne ou celle de se droguer aux premières odeurs, retrouver les copains aux foulards bleus pour tailler des bois verts et allumer des écorces.

17

Quel enfant n'a pas aimé trembler, la nuit sur les pentes herbeuses, à attendre le dahu, n'a pas chanté pour se donner du courage devant les monstres de l'imaginaire, vaincre la peur en marchant bravement vers les ombres ? Je jure que j'ai cru, une nuit, au débarquement des contrebandiers sur les plages de l'Atlantique, tapi dans un creux de silice envahi par les helycrisum, harcelé par les puces de mer. J'ai vu la barque déchirer les reflets de lune et glisser sur la vague jusqu'au pied d'un géant à l'accent russe. Des lampes torches balayaient furtivement les dunes à l'affût des gêneurs avec lesquels il n'y aurait pas eu de quartier. Sur les pieds nus des pirates l'écume était phosphorescente. Un Long John Silver donnait rudement des ordres et maniait un grand coutelas. Un type avec un bandeau tenait un fusil. Il scrutait les dunes en s'attardant dans notre direction, comme s'il avait reniflé de la chair à crabe encore vivante. Même si c'était de la jeunesse, nom de Dieu, il faudrait l'éliminer si elle montrait son nez. Grouillez-vous les gars, y'a du danger, crachait-il tout bas mais assez fort pour être entendu, y'a mon nez qui me dit qu'on est peut-être pas tout seuls cette nuit. Dimitri a repéré un campement de l'autre côté des dunes, des mouflets qu'il a dit. Si je les prends, je les noie comme des petits chats. Dans les herbes, on accrochait le sable comme on pouvait en suppliant la chance. Les forbans débarquaient les caisses avec des chuchotements inquiétants et chargeaient leur trésor dans une 4L tous feux éteints qui ressemblait à s'y méprendre à celle de notre chef. Une fois les pirates évanouis, le cœur battant, nous regagnions nos tentes avec un œil sur les arrières, en se promettant de venir au plus tôt percer la coque retournée sur le sable pour couper toute retraite aux bandits. Le lendemain soir on attaquait les affreux jojos avec une bravoure exemplaire, stimulée tout le jour par la bonne action à accomplir et une morale sans faille. Les enfants se ruaient comme un seul homme sur les pirates de théâtre et le scénario s'achevait sous l'avalanche des mômes et les fous rires des grands.

Aujourd'hui, j'ai la même excitation au pied d'une échelle de meunier comme celle de ma grand-mère qui conduisait au mystérieux grenier où s'entassaient les trésors inutiles. Il y avait là les secrets de la vie d'avant, des amours éteintes, l'empreinte des gestes oubliés sur les objets aimés, les odeurs mortes dans les particules de lumière. J'avais découvert un jour, derrière un coffre et dans les toiles d'araignées que j'avais écartées non sans répugnance, des photos en partie bouffées par les souris, des clichés délavés par l'oubli, jaunis par le soleil de la lucarne avec des parties effacées, blanches, et sur lesquels une jeune fille sérieuse, endimanchée, était assise dans un fauteuil de ferme, tenant un chapeau. Elle était jolie, un peu raide. Il lui manquait un bras et un peu de son chapeau. J'étais resté un long moment dans la paix du sanctuaire, à regarder le passé de cette future vieille dame. Je la bougeais doucement dans le mince faisceau de lumière, jusqu'à la deviner s'animer avec même un sourire qui m'aurait fait pleurer. Elle ressemblait de loin à Amélie, de très loin, mais un peu tout de même. Je lui ai parlé comme jamais je n'avais osé parler à Amélie.

J'ai dormi avec elle et le lendemain j'ai demandé à ma grand-mère qui était cette fille que j'avais trouvée dans le grenier. Elle regarda le portrait avec un sourire triste. C'est moi, mon petit. Je restai sans voix en regardant stupidement l'aberration, ce qu'elle prit pour une stupéfaction admirative. Cette jeune fille qui aurait pu être Amélie avait joué elle aussi, avec ses petits seins nus qui frémissaient sous la blouse, qui sautaient pour la marelle, avec ses cheveux qui caressaient son cou, ses cuisses chaudes et cette odeur de menthe. Grand-mère était devenue une vieille femme, avec des gilets rêches, une odeur aigre et des moustaches qui me faisaient chaque fois hésiter à l'embrasser. C'était terrible, j'imaginais qu'Amélie deviendrait cela elle aussi, plus tard bien sûr, beaucoup plus tard, mais quand même. Je venais de dormir avec une jeune fille qui était ma grand-mère. J'étais horrifié. L'enfance a le mérite sublime de rester seulement curieuse de la vie. Elle en ressent magnifiquement la beauté et toute déception est un immense chagrin. Pourquoi tu pleures? Pourquoi il pleure, ce gosse? Allez dire la vérité… Je me suis sauvé au fond du jardin dans le cabanon, là où je me réfugiais pour gagner secrètement le chemin de glaise humide, entre les orties, qui conduisait à la forêt interdite, au ruisseau noir sous les frondaisons, au marais où s'enlisaient à jamais les enfants désobéissants. Quel délice que la désobéissance…

Qui m'a appris l'obéissance en vieillissant pour satisfaire le regard des autres? Je veux être désobéissant et braver la raison. N'essuyez pas mon front où perle la sueur et laissez mes vêtements coller à la peau dans la nuit tropicale. N'éteignez pas les feux de racines séchées, j'aime la fumée âcre. Laissez-moi déchirer mes semelles sur la lave noire des volcans, peiner avec bonheur dans les poussières de lune d'Atacama et les éclats de mica des terres brûlées. Venez sur les sentiers des tribus ifugaos dans l'humidité verte, jusque sous les pilotis des cases. Nous resterons avec les visages froissés des vieux silencieux à écouter l'insupportable coq philippin. Je retournerai pour une caresse amoureuse poser ma main sur le rocher jusqu'à l'aspérité salvatrice pour me hisser au sommet et regarder le monde. Je n'ai pas changé, je suis passé de l'univers de l'enfance à celui des hommes avec les mêmes règles, la même curiosité. J'étais fasciné par le sillage de la barque dans les canaux sombres des marais, je l'ai été plus tard, sur l'océan, par celui des cargos. Rien ne peut me faire oublier les nuits à la passerelle avec la musique des ordres murmurés à deviner la proue fendre le bleu sombre.

Mais tout cela ne serait rien s'il n'y avait pas eu, dans mon enfance, en bas dans la cour, la vie comme un épi, une énergie claire, une proposition d'amour avec un rire qui était la musique des anges. Je ne savais pas ce qu'était un ange mais je l'imaginais ainsi, un ange avec des yeux verts, des seins comme des oiseaux et des chevilles à caresser infiniment, un ange qui ne serait jamais comme ma grand-mère, juré. Tout cela ne serait rien si une Amélie ne passait pas un jour sur votre chemin, si vous ne cherchiez pas à voir dans le village de terre rouge les reins sanglés d'une femme, à surprendre le geste en orbe qui cueille un fruit ou le regard échappé d'un voile, si au milieu des enfants qui jouent il n'y avait une jeune fille qu'un petit garçon assis sur une pierre couve des yeux comme le plus précieux trésor de l'univers. Je n'ai cessé de voyager pour tenter de deviner son regard et filmer le monde en elle et autour d'elle. Elle était la vie et mon enfance. Filmer, voilà ce que j'ai voulu faire, pour piller, pour ne rien perdre, pour retenir l'enfance, pour garder quelque chose du regard des hommes et de l'instant.

C'était naïf et présomptueux, comme de cueillir sous la tuile déplacée le rayon de soleil avec la main et le glisser entre les pages d'un livre. Croire que je pouvais figer le moment, retenir l'authenticité d'un visage, d'un acte, était dérisoire même si parfois j'avais tissé de belles histoires, mais elles n'étaient *que* des histoires, des contes, des esquisses de vie. Je n'avais pris que des papillons qui perdaient leur pollen dans les mailles du filet en attendant l'épingle du collectionneur. J'épinglais des instants. J'ai aimé faire cela mais je n'ai regardé le monde que dans l'étroite fenêtre de mon appareil. J'ai aimé tricher avec le vécu, j'ai inventé, recousu, sculpté autrement la réalité proposée. J'ai occulté une part de l'essentiel. J'ai filmé l'instant sans le vivre jamais. J'avais peur de le perdre.

J'étais témoin. Difficile de mettre le cœur en image. Pourtant, c'était cela aussi, parfois, la poésie, l'autre regard, le jeu des mots, des assemblages qui étaient le sens même. J'avais voyagé trop vite, dévoré le monde avec voracité, avec la peur de n'avoir jamais le temps. Le temps de quoi ? Là où je suis, j'ai le temps, je l'ai pris et je le laisse filer à son rythme à lui, tardivement je l'admets, mais il m'a fallu tout ce temps. Alors que je me noyais déjà dans la précipitation avec une frénésie inquiétante, Amélie m'avait raconté, comme à un enfant buté, l'histoire du temps enchaîné. Elle avait écrit cela quand elle donnait des cours aux enfants turbulents.

"Un jour, l'homme a attaché le temps à une chaîne. Il le mit dans sa poche en le consultant de temps en temps. De temps en temps. Puis il voulut le temps enchaîné à son poignet, croyant ainsi l'apprivoiser et le dominer. Mais c'est le temps qui enchaîna l'homme. Il oublia de lire les ombres, de reconnaître les signes. Il désapprit ce que le soleil lui avait enseigné. C'est ainsi qu'il fut prisonnier du temps. L'homme, autrefois, le prenait quand il le souhaitait. Le temps était là à attendre. Il était à prendre. L'homme le regardait. Il avait le temps et le temps était libre. L'homme était libre du temps et le temps était libre des hommes. Mais le temps ainsi attaché à son poignet, enfermé dans les horloges, se mit à tourner en rond comme dans une cage. On lui mit des chiffres pour ne pas le perdre. Il ne fallait pas perdre de temps. C'est ce que l'homme croyait.

Il finit par courir désespérément après lui, celui, bien sûr, qu'il avait enchaîné. L'autre n'avait pas bougé, il était toujours là à attendre et il voyait l'homme passer devant lui en courant sans le regarder, sans s'arrêter pour tenter de le voir puisqu'il avait les yeux fixés sur son poignet. Il poursuivait l'autre temps, celui qu'il avait inventé, un temps aveugle, cruel, remplaçable, un monstre enragé, virtuel, qui finit par le tuer. C'est ainsi que l'homme est devenu mortel. Avant, il s'endormait pour mourir en prenant le temps, se laissant bercer par lui. C'était un dernier mariage. Sachant que le temps était immortel, il partait avec lui sans frayeur, de l'autre côté de la vie."

J'avais souri, amusé. Aujourd'hui, là où je suis, j'ai le même sourire et je t'aime pour cela aussi, mon amour. Je voudrais que tu voies cette lumière dorée sur les graminées. J'ai ramassé un fossile, un coquillage mystérieux que la mer a laissé il y a des millions d'années. Maintenant, j'ai du temps pour monter les silences de ce film, du temps pour choisir les images et ne rien regretter, jamais. Je tuerai la nostalgie, je raconterai des histoires voilà tout.

Je m'appelle Marc Austère, comme l'écrivain avec la différence d'un accent très grave et d'un *e* final. Aucune similitude, donc, avec le scénariste de *Smoke*. Je suis fier de m'appeler Austère, accent grave *er-eu...* parce que la rime riche qui vient immédiatement aux poètes est "mystère". Un après-midi de somnolence, à l'école primaire, suite à une interrogation au tableau dans une matière que j'avais du mal à digérer – la chimie – et à propos d'une formule avec laquelle je me battais sans succès, mon instituteur avait fait rire la classe avec: "La chimie pour Austère, c'est vraiment la galère." Bien que la rime fût pauvre j'avais ri aussi, j'ai beaucoup d'humour…

La fois suivante, sur une autre formule, au moment où la classe allait poursuivre en chœur: "… c'est la galère", le joyeux enseignant avait devancé les élèves en enchaînant: "La chimie pour Austère, c'est vraiment un mystère." Ça m'avait enchanté, cet homme était vraiment formidable. A la récré, on m'appelait Marc Mystère, j'étais ravi, ce pouvait être le nom d'un héros de bande dessinée. Je signais donc M.M., comme Aime Aime. Mystère était celui de la chimie, et la chimie celui de la vie, et moi, Austère, j'étais en entier dans ce mystère de la vie, et je le suis encore. Il y eut cette chimie, cette merveilleuse alchimie parfois, mais aussi des mélanges incompatibles, des spectres, seuls visibles, d'amours idéalisés, des mirages d'amour, au hasard des rencontres.

## 2

A la poste, on me tendit un paquet grossier, attaché avec une ficelle de récupération, des nœuds à n'en plus finir. Il y avait des timbres du Sénégal, tête de Président et pileuse de mil. J'ai coupé la ficelle et dans les pages du *Soleil*, il y avait une poche en plastique "Chez Diam, épicerie fine".

Une certaine Maïmouna Bâ m'envoyait les papiers de mon ami Michel Coche, disparu deux mois auparavant du côté de Matam, au Sénégal, avec sa montre brisée enveloppée dans une page du quotidien où étaient annoncés le championnat de lutte à Foundiougne et l'inauguration de l'école Léopold Senghor à Kaolack. Dans un morceau de Guinée, il y avait le journal de Michel, ses notes, les fièvres de ses dernières années. Il y avait plusieurs mois que j'étais sans nouvelles de lui et, étrangement, lors de son dernier départ il m'avait remis des textes sous forme de carnets. Sur la couverture il avait écrit au feutre : "Le vent prend naissance à Matam." Il m'avait semblé las et je retiens encore ce qu'il m'a dit en partant : "Mon impuissance me pèse, trop de colères inutiles, de tendresses inexprimées. Il y a toutes ces volontés inachevées, ces désirs étouffés, ces courbes imparfaites. Comment improviser sa vie dans la méthode ?" On avait trouvé mon adresse au dos d'une enveloppe que j'avais envoyée à Michel, poste restante, à Bakel. Dans une lettre malhabile, une écriture scolaire m'expliquait que mon ami était mort d'épuisement d'avoir voulu se battre contre un vent fou. Cette Maï-

mouna me donnait quelques fragments de leur rencontre et finissait ainsi sa lettre : "Michel courait après le
vent pour le dompter. Il l'a rendu furieux et le vent l'a
tué. Je possède encore des lettres de lui très 'gâtées' qui
finiront poussière si je les touche et d'autres avec des
taches de pluie."

Je suis allé là-bas, du côté de Matam. Je connaissais
déjà les bords du fleuve, pour les avoir abondamment
filmés lors d'un tournage sur l'esclavage et le commerce
de l'ivoire au XVIII<sup>e</sup> siècle. Je ne sais pas ce que Michel
était venu foutre ici, une bourgade sur les falaises de
sable avec des ruelles en rônier. Je le saurais plus tard. Il
n'y a rien à Matam que du sable et un soleil qui boit la
moindre goutte d'eau. *Matama*, payer comptant, c'est ce
qu'exigeaient les guerriers peuls qui venaient vendre
leurs esclaves, razziés dans les lointains villages de
Guinée. Michel aussi avait payé sa folie comptant. Il
aimait le fleuve, il le connaissait, de Bakel à Saint-Louis,
mieux que n'importe quel piroguier. Il était l'enfant blanc
du Fouta Toro, l'ami des Toucouleurs et des Sarakolés,
mais son coin favori était Podor, avec ses bâtisses colo-
niales, ses maisons de marchands, les grands arbres qui
balancent leurs branches dans les eaux du fleuve, les
enfants qui jouent sur les quais abandonnés où les racines
s'insinuent entre les pierres et auxquels s'amarraient
autrefois les gabarres et le brigantin de la Compagnie du
Sénégal. Une flottille de pirogues les accompagnait
comme des poissons-pilotes pour récupérer les miettes.
Personne n'est innocent. Pas même moi, disait-il.

Il restait assis à imaginer ce que devaient être ces
convois qui profitaient de la décrue pour remonter le
fleuve, à la voile, sous vent d'ouest, jusqu'à l'île au
morfil, et plus tard jusqu'à Matam et Bakel, pour l'or et

les esclaves. Sans vent, on tirait les ancres loin devant et les nègres halaient les navires jusqu'aux tridents. Trois mois de galère pour tous et retour avec la crue. Les Arabes harcelaient les bateaux, pillaient ou réclamaient des droits exorbitants. Michel avait souhaité que je fasse un film sur ces temps où la cavalerie maure impressionnait celle de la France, où l'hérésie des hommes blancs n'avait pas d'horizon. Il avait vécu ici avec les tourterelles du désert, sous les acacias et dans les eaux du Djoudj qui descendaient vers la langue de Barbarie et le grand Atlantique. Il y revenait souvent et, cette fois, il y était resté. Quand je suis arrivé à Matam, il faisait nuit.

Je suis allé dormir chez Bakhine, un campement modeste mais propre. J'étais chez moi. Avec sa femme, on a bouffé un *caldou*, du riz au poisson. *Just married*, ils étaient. Mine rayonnait avec son bout de zan dans les bras. Je suis resté dans la partie "night-club" à revivre l'éternelle occupation de boire pour explorer la nuit et ne pas se retrouver à poil dans sa case, tout seul, allongé sur le lit, les bras derrière la nuque, en rêvant de voir une silhouette féline soulever la moustiquaire.

Sous la case musicale, comme l'appelait Bakhine, il y avait un blanc, les yeux noyés de bière, qui essayait de danser comme les gazelles, une Rwandaise traumatisée, échouée là par mystère et qui buvait pour ne plus voir le monde tel qu'il était, et des musiciens remontés à l'herbe qui continuaient le shoot avec des battements de possédés qui heurtaient l'espace. Deux noirs élégants étaient arrivés en saluant poliment, comme deux notables qu'ils étaient, deux notables qui se lâchaient maintenant sur la piste après avoir aligné les mousses. Trois blanches qui se prenaient pour des noires mettaient en pratique leur cours de danse africaine avec beaucoup d'application en espérant qu'un corps ici présent voudrait bien du leur.

27

Un vieux peintre amoureux du monde et de la bière rêvait d'un centre culturel international dans la case de Bakhine. Et au milieu de tout cela, assise sur les genoux de sa mère, Simone, la magnifique petite fille de mes hôtes, merveilleusement dessinée, était la promesse du monde. Mine la berçait amoureusement et je ne voyais qu'elles.

A l'aube, j'étais sur la piste avec des restes de bleus sur la terre, et je ne pensais qu'à lui, Michel. Je rapporte son histoire comme je l'ai devinée, avec l'insondable mystère des terres africaines. Michel était revenu pour Mama, voilà ce que les lettres m'apprenaient.

Le village peul était au bord du fleuve. Elle allait mourir. Elle avait élevé Michel à Saint-Louis quand il était enfant. Elle était bonne à tout faire, même l'amour avec le père. Elle avait initié Michel. Elle avait été ses premiers désirs. Quand il était parti en France pour ses études, il n'était revenu que pour la mort du père et Mama, inutile, était retournée vivre dans son village près de Matam. Il venait la voir parfois quand il faisait le tour de la terre pour écrire et raconter. Cette fois était la dernière, Mama s'en allait. Il avait apporté à la vieille un peu de sucre et un sac de riz comme chaque fois, quelques sous et un tissu de Paris. Il avait posé l'étoffe dérisoire sur la poitrine nue, décharnée, de Mama.

Il y a une douce lassitude à vieillir dans la brousse. La vie parfois s'éteint, sans douleur. Là-bas, des gamins jettent des pierres. Les tourterelles s'envolent, mais le filet veille. Elles bruissent encore par peur, frémissent en s'éteignant. L'enfant aussi s'habitue à la mort. Il tient le petit corps chaud dans sa main. Il regarde ce cou si fin et le tord entre ses doigts, le duvet collé à la paume. La mort est transparente.

Michel était assis à la porte de la case, une porte sans porte, juste un rectangle de lumière qui changeait de forme avec les heures. Le corps de Mama ne voulait plus du soleil, seule la lune était encore supportable, comme une lanterne des morts devant la case. Elle était couchée sur le côté dans la pénombre avec une main qui serrait celle de l'homme blanc, comme pour retenir la vie. Une main comme une serre, pensa Michel, un étau d'une force insoupçonnée, celle des ténèbres. Il avait frissonné. Mais ce n'était qu'une main seule, sans corps, qui cherchait la lumière. La mort attendait dans la case et Michel regardait la vie. Une jeune femme était assise sous un tamarinier. Il y avait une ombre fragile. Des taches de lumière dansaient sur son visage. Un doigt de soleil caressait son cou.

La voix de Mama se décrocha jusqu'à lui.

— Elle n'est pas à vendre, Babo.

— Je ne veux pas l'acheter, Mama, j'ai entendu beaucoup de choses sur elle.

— Tous les mots ne sont pas justes.

— Dis-moi les mots justes, Mama. Je voudrais les écrire.

— Tu veux fixer la parole, Babo. Ici, rien ne s'écrit, tout se raconte. La parole reste et s'amuse. Elle danse de village en village et revient avec d'autres paroles.

— Parle-moi d'elle.

La jeune femme semblait lointaine, absente, inaccessible. Mama garda le silence un long moment. C'est ça l'infini, pensa-t-il. Quand tout est silence, immobile, sans souffle. La mort. Seule la lumière sur le visage de la jeune femme était la vie. Laisse ta tête sur le vieux sac, Mama. Le cabri respire fort à ton oreille, un cœur vivant et doux contre le parchemin de ta joue. Tu n'as plus soif.

29

La fontaine de vie s'est tarie. Et lui, là-bas, qui sait que tu meurs. Il regarde ailleurs. Il pense à ta bouche quand elle s'ouvrait pour lui. Il sent son sexe grandir, le vieux. Au bord de la mort, parfois, la vie est plus intense. Par survie, peut-être. C'est si loin l'amour, Mama!

Michel se souvenait de la maison à Saint-Louis, avec le patio, l'ombre de la véranda, les pièces obscures, interdites de soleil, volets clos, pour enfin reposer le regard, fuir l'éblouissement. Sa mère était morte quand il avait quatre ans et son père travaillait à l'hôpital. C'était un médecin colonial qui avait la fervente volonté de trouver dans la pharmacopée africaine les remèdes que l'Occident peinait à découvrir. Il avait une grande admiration pour Schweitzer, le philanthrope, l'homme de science et le musicien, et il tentait de l'imiter sur ces trois fronts. Le plus délicat étant celui de la musique, où son obstination le conduisait chaque jour à jouer sur un petit piano sans cesse désaccordé dont il fallait accepter les dissonances. Michel, qui aimait beaucoup son père, pardonnait volontiers son amateurisme et la médiocrité de l'instrument. Néanmoins, le géniteur mélomane avait fini par donner à son fils le goût du silence et Michel détestait le piano.

Mama était entrée dans la maison tardivement. Elle avait quarante ans, c'est elle qui le disait. Elle a eu quarante ans jusqu'à son départ, quinze années plus tard. Elle était veuve, avait trois enfants qui travaillaient à l'entretien du pont Faidherbe. Mama était une Toucouleur magnifique, d'une grâce qui était la lumière de la maison. Elle glissait d'une pièce à l'autre avec une grande élégance et beaucoup d'autorité. Michel avait douze ans, il avait vite saisi que celle que l'on appelait déjà Mama était la maîtresse officieuse de son père et que ce dernier avait bien de la chance. Michel grandissait, heureux. Ni les filles de l'école, des blanches nunuches, hautaines mais vite effarouchées, ni les jeunes Wolofs de la rue Neuville qui tentaient leur chance en reluquant les toubabs, ne valaient la présence de Mama. Quand il avait eu ses premiers désirs, il était allé traîner sur le marché, voir les Peules. Revenu à la maison, c'est Mama qu'il regardait, pour tenter de surprendre un geste évocateur, un abandon. Il aimait se réfugier dans les toilettes du bas, il y avait un porte-papier avec un corps de femme africaine. Elle était habillée de papier rose. En tirant sur le rouleau, le corps montait et l'on découvrait sa nudité. C'est Mama qu'il déshabillait chaque jour. Il rêvait de la voir ainsi, dans l'indiscrétion de sa solitude.

C'est ce qui arriva un moment où le père était en brousse. Dans l'ombre, il vit Mama réajuster le haut de son boubou et ses deux seins généreux, déjà lourds, qu'elle ne cacha pas en présence de Michel. Il était à la porte, incapable de faire demi-tour, partagé entre la crainte et l'excitation. Elle le regardait calmement, sans surprise. De quoi as-tu peur, Babo? avait-elle murmuré. Tu n'as pas encore connu de femme? Regarde si tu veux, mais ne te cache pas pour le faire. Approche. Ce qu'il fit. Tu peux les toucher, si tu veux. Ce qu'il fit aussi, délicatement, en tremblant pendant qu'elle laissait tomber son tissu. Il devint maladroit, un peu pressé, elle le calma. Il jouit trop vite, elle le rassura. Elle prit du temps pour lui. Il y avait la culpabilité mais aussi la jouissance de ce qu'il pensait être un interdit. En Afrique, il n'y a pas les tabous des blancs, Babo, il n'y a que la religion pour inventer cela. Et mon père? Elle le regarda en souriant. Tu es heureux? Oui. Alors, ton père serait heureux de te savoir ainsi. Mais c'est beau de partager un secret.

Lui aussi en a. Je ne suis pas jalouse des femmes blanches qu'il voit. J'ai beaucoup de chance, je le sais. C'est un grand homme pour moi.

Ainsi tout fut dit et Babo apprit l'amour. Il garda le secret longtemps. Il adorait cette peau parfaitement lisse dont il n'oublierait jamais le parfum. Mama se passait de l'huile sur le corps, matin et soir, avec un mélange de fleurs qu'elle préparait elle-même. Si je ne faisais pas ça, j'aurais une peau de serpent, Babo, les noirs n'ont pas toujours la peau douce, le soleil a tanné le cuir et il faut l'assouplir. Michel avait toujours aimé les parfums, mais celui de Mama bouleversait ses sens. Il m'en parlait souvent, quand nous respirions quelque chose d'approchant il me disait : ce pourrait être le parfum de Mama, mais c'est un sous-produit, une pauvre imitation. Michel disait que la première chose qu'il recevait de l'autre, c'était son odeur. L'amour avec Mama c'était cela aussi, l'odeur, avec ceci de particulier qu'elle lui avait dit avant qu'il la pénètre, non, Babo, tu as le droit de caresser, mais tu ne peux pas entrer. C'est un secret que je garde pour ton père. Et Babo regardait, fasciné, cette porte violette dans la toison. Mama prenait du plaisir à ses caresses et elle lui rendait cela en le massant avec son huile jusqu'à ce qu'il jouisse sur elle et qu'ils regardent ensemble sa semence claire sur le ventre de Mama. Parfois, elle engloutissait son sexe et disait que son sperme était comme l'amande. C'était toujours simple, l'amour avec Mama, comme une évidence, avec un plaisir que peut-être Michel n'avait jamais retrouvé. Il m'avait avoué n'avoir pénétré que très peu de femmes et qu'il recherchait celles qui pouvaient lui donner du plaisir comme Mama, en dehors de leur ventre, mais qu'il adorait regarder leur sexe. Ce devait être l'image de la porte violette et je pensais que Mama, en lui offrant l'amour, avait peut-être fermé une part de l'essentiel.

Un jour, Michel partit pour la France et Mama passa le relais. Il ne revint à Saint-Louis que pour les derniers jours de son père. Mama errait en silence dans la grande maison avec des attentions d'une douceur infinie. Elle était douloureuse et reconnaissante pour celui qu'elle avait aimé et qui l'avait toujours considérée comme sa compagne. Michel n'avait pas quitté le chevet. Il essuyait le visage de son père qui souffrait beaucoup et qu'il ne reconnaissait plus. Il tenait sa main et celle de Mama. Elle avait une larme accrochée sur sa joue, un bijou de deuil qui restait suspendu et que Michel aurait voulu boire. Le père lui avait soufflé d'aimer l'Afrique et de ne jamais oublier Mama.

Un soir, il avait demandé à Michel de s'éloigner un peu pour chuchoter quelques mots à Mama. Elle avait collé son front sur celui du père. Michel, par la porte entrebâillée, avait vu la main de Mama crisper le drap, puis remonter vers la joue du malade. Elle l'avait embrassé, longuement regardé, puis était sortie de la chambre en maîtrisant un sanglot. Il avait appelé Michel pour lui dire d'aller dormir, que Mama le veillerait. Au petit jour quand il revint dans la chambre, le père s'en était allé. Mama avait posé deux hibiscus rouge sang sur sa poitrine et des fleurs de jasmin qui embaumaient la pièce. Elle prit Michel dans ses bras et ils restèrent ainsi jusqu'au plein soleil qui les baigna tous les trois.

Le père avait refusé le rapatriement aux frais de l'État pour une petite place dans le carré des blancs du cimetière. Mama avait pris le bras de Michel pour accompagner le corps. Il y avait beaucoup de monde. Les blancs s'étaient placés devant, juste derrière Mama, sans qu'on leur demande rien, et Saint-Louis suivait, reconnaissant au docteur qui avait fait sien ce pays et tant fait pour lui. Michel pleurait beaucoup et Mama avait consolé le grand garçon maigre.

L'enfance de Michel s'éteignait là. Il n'oublierait jamais ces années d'une jeunesse bouleversée par la sensualité, le goût des mystères, la pauvreté aussi. Il n'oublierait jamais les parfums, celui de Mama comme ceux des marchés, des feux de palétuvier, les rires à n'en plus finir de Dialo et Moussa qu'il n'avait jamais revus, les yeux d'Aïssata qu'il avait aimée en secret, sans jamais la toucher, avant que Mama ne lui laisse voir ses seins. Il pleurait les escapades sur les sables de la Langue de Barbarie, les remontées du fleuve en pirogue à voile jusqu'au pont Faidherbe, les coquillages et les verres de couleur sur la dune aux perles. Il pleurait le regard si doux de son père, le mauvais piano, les sonates écorchées qu'il fuyait pour se réfugier dans la rue voir la danse des femmes avec leurs culs qu'elles faisaient tourner sous les cris de joie et l'excitation. Il allait s'abrutir du tambour sous la chaleur, avaler la poussière du désert.

Mama n'avait pas voulu rester dans la maison que Michel lui laissait. Elle souhaitait seulement un peu de terre là-bas, dans le village de son enfance, et y finir sa vie. Tu es jeune, Mama. Pas assez pour que tu me fasses un petit moitié-moitié. Ils avaient ri dans les larmes. Il y avait cela d'écrit dans l'histoire et Michel avait fermé les yeux pour lire ce qui restait dans son cœur.

La vieille maîtresse devait se souvenir elle aussi. Tout baignait dans une douce torpeur.

— Parle-moi d'elle, Mama.

— Elle n'est pas ce que tu vois.

Il regarda l'obscurité puis la main squelette dans le soleil qui froissait la sienne.

– Qu'est-ce qui vole sans jamais se poser, Babo ?
– Je ne sais pas, Mama.
– Ici, tous les enfants le savent.
– Je ne suis plus un enfant.
– Oui, mais tu l'as su. Tu as oublié. Qu'est-ce qui vole sans jamais se poser ?
Silence.
– Le vent, Babo.
– Le vent, oui, Mama. Je me souviens.
Le blanc aux yeux bleus sourit. Il pensait à ses notes, ses carnets, ces fragments d'histoire qu'il pillait çà et là. Mama serait une longue histoire.

Celle de Michel prenait le visage de la jeune femme là-bas sous le tamarinier. Elle n'est pas à vendre. Il se prenait à le regretter.

– Maïmouna ne se pose jamais, souffla Mama. Elle est la maîtresse du vent. Tu crois qu'elle est là assise, mais elle est très loin, Babo. Elle n'est pas d'ici. Peule, oui, mais on ne sait pas d'où. Personne ne lui demande. Parfois, sur la place, quand rien ne bouge, pas même la tourterelle, comme aujourd'hui son pagne claque et s'enroule autour d'elle. La poussière s'envole et tourne comme des millions de papillons. C'est lui qui vient la chercher. Parfois même il la déshabille et elle reste ainsi, nue, les yeux clos jusqu'au coucher. Son corps reste ici mais l'autre Maïmouna est avec lui. Quand il la laisse en paix, parfois elle me raconte. C'est elle qui le calme quand il devient harmattan, chargé de sable, quand il ponce les couleurs, éteint le jour, embrume les esprits.

Elle lui parle et il devient brise de mer qui repeint l'écume, les tissus des femmes, le bleu du ciel, les nuages en dentelle. C'est elle qui mélange les rires des enfants sous les acacias. Le blanc avait laissé la main de Mama pour le stylo et il notait les mots de Maïmouna réinventés

35

par Mama. Il était habitué aux histoires africaines. Il ne s'étonnait pas, ne souriait pas des croyances, il écoutait. La main de Mama cherchait de nouveau la sienne et il s'était arrêté d'écrire pour regarder la jeune femme. Plus tard quand il sentit les doigts de la vieille abandonner les siens, il se retourna et tendrement lui caressa le front. Mama s'était endormie. Il se leva pour rejoindre Maïmouna. Il s'accroupit près d'elle. Il était profondément troublé par sa présence. Il se sentait enveloppé, caressé par elle qui ne bougeait pas et lui souriait. "Maïmouna, l'aile du vent", avait dit Mama.

– Elle va mourir, dit-il.

– Oui, elle va où le vent n'est pas, où rien ne bouge plus.

Il pensait à Nirvana, lieu où rien ne souffle plus. Lieu de paix. Paix peut-être, mais hors la terre, hors la vie, hors les humains.

– Le souffle est vie et celui de Mama s'épuise. Il lui manquera ça à Mama, le vent.

Ils restèrent ainsi jusqu'au soir. Quand elle se leva, légère, aérienne, il sentit un frôlement d'ailes: elle était longue, gracile, cambrée comme un long *bow*, un arc de chasse. Elle ne laissa aucune empreinte sur le rouge de la terre.

Maïmouna l'avait pris sans le toucher.

– Où vas-tu? osa-t-il lui demander.

Elle se retourna avec élégance, féline, et posa sur lui un long regard fiévreux. Elle était à la fois candide et désinvolte. Elle avait un long cou, une bouche à peine entrouverte. Elle esquissait un sourire qui était à la fois une invitation, une provocation et un ordre. Elle était inaccessible. Il but son visage avec une jouissance douloureuse. Il se souviendrait de ces traits purs, sensuels, parfaitement dessinés. Où qu'il puisse aller, ils seraient là. Elle s'évanouit dans les reflets du fleuve, laissant une ombre. Il se rappela avoir lu quelque part : "Quand tu l'embrassais, elle se cambrait comme une hélice, se vrillait en projetant le bassin en avant pour te prendre malgré toi, c'était une pale mordante, découpant ta vie en lamelles inutiles."

Il resta jusqu'à la mort de Mama. Maïmouna venait sous le tamarinier. Elle lui faisait un signe pour qu'il vienne près d'elle. Il obéissait. Elle parlait du vent. Il était jaloux, furieusement, avec une vraie blessure. Qui aurait pu comprendre qu'on puisse être jaloux du vent ? Elle était intouchable, infiniment belle, d'une douceur insupportable. Il pleurait quand elle partait avec ce même ordre silencieux de ne pas la suivre et qui le clouait sur ses talons.

Un soir, Mama eut froid et tendit une main vers le ciel pour décrocher un nuage noir avec lequel elle se couvrit. Le griot raconta la vie de ce corps avant le dernier souffle pendant que Babo fixait la nuque délicate, infinie, de l'ibis noir qui était devant lui. Ils veillèrent Mama, puis l'emportèrent dans le cimetière de sable. Il se souvenait de ce jour où elle avait laissé tomber son boubou, de ces jours qu'elle lui avait donnés, de ce parfum dont elle emportait le secret mais qui l'obséderait toujours. Il chercha la main de Maïmouna, pour pleurer et étreindre la vie, mais elle avait disparu. Il la chercha dans le village, vers les puits, sur les bords du fleuve. Il guetta les pirogues, le taxi-brousse, mais ne la revit pas. Babo le blanc continua ses voyages. Où qu'il fût, le visage ébène ou blanc de Maïmouna le regardait. Il dormait avec elle et le moindre souffle était elle. Il y avait le voile de poussière dans la laitance de l'aube, les pieds nus sur la terre sèche, le silence des rives.

*"Ton corps m'enveloppe, m'adoucit et me maltraite. Je te cherche, Maïmouna, là où le vent souffle."*

Il a fouillé l'invisible mémoire au creux des dunes et sous les pots d'argile, les ombres grises, indéfinies, figées sur le sol clair, le soleil trouble derrière les brumes, la chaleur des ventres, l'inquiétude de la vie. Michel retournait à l'Afrique, en son sein de poussière, dans l'envoûtement irrésistible de l'invisible, sous lequel succombe celui qui accepte.

*"Nov. 2003, Mauritanie : Philao, cheveux de femme entre les falaises. Déserts brossés jusqu'à retrouver l'empreinte des premiers hommes.*
*Vent d'oubli qui efface sur le sable les pas des égarés."*

Dans une marge, il avait griffonné, à peine lisible: "J'ai froid. Je déchire quelques pages ineptes pour faire un feu." Quelques années plus tard on retrouva le corps de Babo sur un tumulus. Il avait erré sur la terre à la poursuite du vent en détruisant tous les reflets qui n'étaient pas Maïmouna. Il l'avait éperdument cherchée dans les boues du fleuve, sur les rizières stériles, dans les villages aux cases nues jusque derrière les murs des ports de Bakel et de Podor. Il se perdit par un vent de feu, celui qui gerce les bouches et déchire les gorges des enfants réfugiés sous la toile. C'était un chergui, un sirocco, un simoun d'Iran peut-être. Ce pouvait être aussi le khamsin d'Égypte, qui dessèche les cœurs et les lèvres, et, pourquoi pas, ce vent de banquises aux échardes de glace. Peu importe, le vent l'avait tué quelque part près du fleuve du côté de Matam.

On ne retrouva que ses carnets, ses notes et sa montre que personne ne vola parce qu'elle marquait l'heure de sa mort. Maïmouna les avait conservés précieusement jusqu'à déchiffrer mon adresse. Tout lui fut remis. C'est ce qui fut dit. Qui découvrit ces pages et les apporta à la fille du vent? Nul ne sait. On dit aussi qu'elle apprit les textes comme des prières puis me les fit parvenir. Il y avait des pages arrachées dont je ne connaîtrais jamais la teneur et ces morceaux "gâtés". Maïmouna tenait délicatement dans la paume de sa main des papillons de papier, les pages que Babo avait déchirées. De l'autre main, elle chassait l'invisible. J'ai reconstitué comme j'ai pu les puzzles fragiles qu'étrangement il avait conservés comme des regrets.

*"Octobre 2002: Vent sur les surfaces cristallines qui troublent les reflets jusqu'à l'abstrait."*

Elle aimait les mots et c'est elle parfois, quand la lumière baissait, qui me lisait sans la voir l'écriture de Michel.

*"Novembre: Grand Canyon. Il use avec patience la roche sanguine du Colorado. Il tourne comme un derviche infiniment jusqu'à la folie des troglodytes."*

Elle mâchait cette phrase sans difficulté, avec gourmandise. Elle la répétait comme un enfant avec bonheur jusqu'à en perdre le sens.

— Pour qui Babo a écrit toutes ces lignes?

— Je ne sais pas, Maïmouna, pour que tu les lises un jour. Il a écrit cela pour toi et pour que l'on sache qui tu es.

— Je sais, c'est pour ça que j'apprends les mots, ils sont à moi. J'aime leur musique. Je les chante quand mon boubou s'envole.

*"Août 2003, Hammerfest – 70 km au-delà du cercle polaire: Il y avait un pollen de lumière sur la ville froide, des aiguilles de nacre fichées dans la lune.*

*Mars 2004, Santorin: Transparence qui redessine les formes de la terre et passe sous les robes des filles avec des doigts inconnus, savants, à n'en plus finir."*

Il disait que Maïmouna seule apprivoisait le vent. Elle le tenait dans ses paumes pour le calmer, l'adoucir. Parfois, elle se déchaînait et les hommes priaient Éole pour leurs moulins fracassés.

*"Mai 2004: Dans les ascendants des aigles de l'Estrémadure tirent des bords entre les voiles multicolores des hommes-oiseaux."*

J'avais la petite boîte en fer-blanc dans laquelle Maïmouna avait placé les fragments "gâtés" des lettres de Babo et les papillons de papier qu'elle avait recollés sur des pages du *Soleil.* J'ai encore son regard sur mon épaule, mon cou. J'aurais voulu prendre sa main posée sur le tissu bleu, une main de bronze. Elle m'écoutait avec une surdité désarmante et dans les yeux un éclat fauve, envoûtant. J'aurais pu sombrer dans la léthargie de cette case, ne plus rien penser, ne rien faire que la deviner dans l'éternité des nuits et le jour la regarder se mouvoir jusqu'au puits.

Je recopiais certains passages pour reconstituer les liens perdus. Je sentais son souffle. Quand je me retournais, elle semblait ailleurs. Si j'insistais et rencontrais ses yeux, elle éclatait de rire, un rire qui me glaçait. C'est peut-être ce rire qui m'a sauvé. Elle n'a jamais eu ce rire avec Babo. Elle devait savoir, deviner ses proies et envoyer ce signe comme un blizzard qui vous obligeait à vous emmitoufler et ne rien laisser du cœur qui puisse craindre ce froid-là. Alors seulement elle détournait le regard. Il y eut une drôle de nuit, la dernière, une nuit comme une mer lourde avec des vagues de silence dans une longue houle. Au matin, quand j'ai avalé le soleil, elle était partie et je ne l'ai pas suivie.

Je suis reparti vers le Niger à la frontière du Mali pour filmer cet endroit dont parlent Bowles et Barceló, la Boucle du Niger, et surtout revoir Jo à Gao, pour lui annoncer qu'on avait retrouvé Michel. J'avais décidé de passer par Bakel, de traverser le Mali, Ouagadougou, et de rejoindre la frontière pour quelques images de plus et respirer ces odeurs fortes que Michel aimait. J'ai laissé mon regard se perdre sur les rives et dans les brumes de sable, sans nostalgie aucune, sans tristesse. Michel était un voyageur fatigué. Il avait finalement choisi une fin sans réalité, une fin rêvée pour un ultime voyage à tenter de reconnaître celle, invisible toujours, qui l'avait amené à regarder le monde autrement qu'il n'était. Nous nous entendions pour cela et l'ami chilien qui m'attendait pour Noël prochain, là-haut chez les Aymaras, ne pleurerait pas. Il chanterait le poète Coche et dirait à voix haute et forte aux montagnes andines: "Il y a ses pas sur les neiges de nitrate des cimetières d'Atacama entre les pierres de lune sur les terres stériles des hauts plateaux. Il a des cendres lourdes sur les épaules qu'il porte jusqu'au sommeil des laves avant le souffle tueur, incandescent, chargé de phosphore."

J'avais quitté le village de Mama, troublé par Maïmouna et par ce qu'elle avait bien voulu me dire ou inventer. Je ne le saurai jamais. Je sais seulement qu'il ne fallait pas que je reste, qu'il n'y avait aucune innocence dans les yeux de Maïmouna, malgré son apparente naïveté. Elle avait quelque chose qui vous enveloppait, vous demandait d'être là, près d'elle, sans qu'elle fît jamais rien. J'avais lu Babo et deviné sourdement que tout, soudain, pouvait vous échapper et que l'ignorance de cette terre des origines était un piège. Maïmouna était la fascination de l'Afrique et pourtant Michel avait grandi là-bas, pieds nus dans la vase du fleuve. Il avait vu le sang des coqs sur les corps malades, entendu les griots, soupçonné les pouvoirs qui lui échappaient, respecté l'occulte, mais il avait plongé. Il n'avait comme médecine pour cette errance que celle de repartir.

Aucun de ses écrits n'avait été publié parce que rien n'était abouti jamais et que jamais il ne finirait quoi que ce soit à part cette vie. Il avait seulement accepté d'être mis en page dans une plaquette qui réunissait quelques-uns de ses poèmes, une édition très limitée pour initiés. Je ne suis qu'un copiste, avait dit Michel. Il avait conscience que son imaginaire était issu de la mémoire d'un monde vécu en commun, celui de l'histoire des hommes depuis les origines. Il enviait Rimbaud avant lui, qui avait compris si jeune, Rimbaud le copiste qui était allé fouler la terre âpre, avide d'hommes sans mémoire, et que Michel admirait profondément pour ce courage-là, pour cette part acceptée de l'ordinaire de l'homme, un petit commerçant sans envergure, un boutiquier, un trafiquant qui souriait à la mort.

# 3

Dans la Boucle du Niger j'ai retrouvé la sensualité des nuques, de l'attente. Là-bas la femme blanche égarée dans la noirceur garde le secret, le savoir bouleversé par l'autre connaissance. Parfois, il y avait encore l'ombre de Maïmouna. J'avais aimé sa cuisse à peine découverte, jamais innocente, humide. Michel, merde, tu savais, toi, que sur ces terres de sécheresse il y a un découragement à l'impatience et que l'homme pressé meurt, exposé sur un tumulus, qu'il meurt sans comprendre, le visage brûlé, le sang noir comme une lave. Je suis resté à Gao, au bord du fleuve, pour "visiter" l'impératrice. Les sœurs de la mission où elle était née adoraient les prénoms célèbres. Joséphine le portait bien, elle était peule, grande, déliée, sans le moindre angle vif. Elle avait une élégance inimitable et une franchise désarmante. Douée, elle avait obtenu une bourse pour faire des études en France. Le fleuve Niger lui manquait et elle était revenue pour enseigner au lycée de Gao.

Joséphine était née un jour de juin, sans date précise, et la doyenne de Saint-Joseph avait décidé que ce serait un 18, en hommage à De Gaulle. Par deux fois, j'étais allé à Gao pour le plaisir de se raconter des histoires et de toucher sa peau. C'est cela que nous aimions, les histoires et la peau de Joséphine. Elle était notre refuge et, dans les moments difficiles, celle qui apaisait. Elle voyait et disait juste. Le lycée de Gao ne la payait plus et elle était revenue au bord du fleuve ouvrir un petit campement à côté duquel étaient installés une case-école et le dispensaire de la mission Saint-Joseph, réduite à trois sœurs increvables, submergées par les tâches. Elles avaient béni le ciel au retour de Joséphine qui assurait une partie des cours, repas du midi compris, suivant l'assiduité des élèves et la fréquentation de son établissement.

J'étais assis comme chaque fois dans ce fauteuil de rônier tressé de palmes, avec des coussins léopard que les touristes adoraient et moi aussi. Avec Michel, nous l'avions un peu aidée.

— Tu as des parts dans L'Iguane.

— Des parts de sable, Jo.

— Non, c'est aussi ta maison.

— Mes parts, c'est le plaisir de regarder les enfants dans l'eau s'éclabousser de lumière, de les voir t'écouter raconter des histoires et de les entendre rire quand tu les grondes.

J'imaginais Michel à cette place, qui devait se perdre dans la contemplation du rythme paresseux des eaux lourdes et rouillées. Michel avait-il eu, un instant seulement, cette plénitude que je ressentais près de Jo, sans l'ombre de Maïmouna, devant cette apparente éternité de la terre et des eaux, avec cette jouissance d'être, seulement être, cette sérénité après laquelle on pourrait mourir sans aucune crainte ?

— Quand il est venu me voir, il était déjà loin, Marc, trop loin pour que je le rattrape et qu'il se pose. Il s'était assis là à regarder des heures au-delà du fleuve, avec des épines d'acacia dans la poitrine. Il avait fini son voyage, épuisé par l'impossible. Il disait que le danger était la précipitation, comme le bonheur. Un bonheur précipité est un bonheur gâché. Il ne faut pas anticiper le destin, au risque de se décevoir. Le danger du voyage est dans la boulimie, la soif du connaître. Il faut laisser le voyage à l'étonnement et il n'avait pas su.

Michel avait dû faire le bilan de sa vie, de ses instants de bonheur fragile, ses passions, ses lâchetés surtout qui l'avaient écarté de la possibilité d'un bel amour, l'inconnue qu'il cherchait, qu'il cherchait en Maïmouna et pour laquelle il avait écrit :

"Mon amour est sauvage, multiple. Il est cette gravure dans l'alcôve parfumée, ce corps et ce visage ombrés de soies bleues, cette voix chuchotée, ce chant bousculé par le tumulte. Il est la naissance du jour et je devine son empreinte dans les tissus mêlés, son reflet dans les miroirs vides. Il est cette douleur délicieuse de l'attente, ce sanglot étonné, cette caresse chaude, cette silhouette gracile au bord du fleuve, ce visage d'argile dans les roseaux. Mon amour est ce vent insoumis, cette profondeur marine, une algue au plus fort du courant. Il n'a pas de nom, il est femme au large du quotidien, femme offerte et libre. Je l'ai vu en Orient derrière une lune de papier huilé, dans ce jardin clos où meurent les tourterelles, sur ce banc, où j'attends. Tout ceci jusqu'à Maïmouna, pour le pire."

C'était sa vie dont il n'était pas certain d'être l'acteur principal, mais le témoin de cet imposteur qui lui échappait. Je repensais à Alvaro Mutis, dans *La Neige de l'amiral*, qui disait : "Parce qu'au bout du compte, tous ces métiers, toutes ces rencontres, toutes ces régions ont cessé d'être ma vie. Au point que je ne sais lesquels sont nés de mon imagination et lesquels font réellement partie de mon expérience. Grâce à eux, je tente en vain d'échapper à certaines de mes obsessions, qui tissent l'ultime trame, le destin évident de ma conduite dans le monde."
Michel voulait, comme lui, négocier un bonheur semblable à celui de ses jours d'enfance contre une vie

volontairement courte. Il semblait toujours chercher ces moments privilégiés du temps de l'innocence, et en fouillant les eaux dormantes de sa vie passée des bulles remontaient, dans lesquelles il devinait un visage attentif, le sien, un visage à qui l'on promettait un voyage qu'il n'avait jamais fait. Il disait pourtant apprendre à se méfier de la mémoire. "Il est une rivière dans laquelle je me baigne chaque jour de ma vie, la nostalgie." Peut-être faut-il vivre sans souvenirs, là est le secret. Pour cela, il faudrait apprendre à vivre dans la vacuité mentale, comme les moines tibétains ou les grands yogis, ce que ni lui ni moi n'envisagions comme bonheur ultime.

Peu de choses nous différenciaient, nous avions embrassé la terre comme une pierre, à nous faire mal. J'avais seulement desserré l'étreinte, parce que dans mon enfance et plus tard, dans ma jeunesse d'homme, un ange était passé, Amélie, et qu'elle est toujours là pour me dire de poser mon cul sur cette pierre, de respirer, d'ouvrir les bras et le cœur. Elle m'a montré le chemin de l'amour et je n'ai jamais douté d'elle. Michel n'avait pas eu d'Amélie, ou ne l'avait pas reconnue. L'amour combattait à fleuret démoucheté et il était le roi de l'esquive. Il avait un recul à aimer ce qui était, là, tout près de lui, trop près sans doute. Je me reconnaissais en cela. Il devenait craintif et portait son regard vers les amours d'ailleurs, plus loin toujours, et se projetait sans cesse dans un autre voyage. A l'exemple des peuplades de Sibérie où chacun cherche sa propre mélodie, un rythme propre, qui le met en harmonie avec l'univers et l'invisible, avec lui-même, il pensait que les hommes devaient tous chercher leur note juste et la jouer. C'est cette note qu'il ne trouvait pas.

Le vieux Samba apportait deux jus de gingembre. Recueilli à Saint-Joseph dès sa naissance, il y était resté toute sa vie. Jo l'adorait et quand elle était venue s'installer là, il s'était mis à son service pour devenir indispensable. Elle n'imaginait plus L'Iguane sans lui. Une petite fille presque nue était accroupie au bord du fleuve. Elle était fascinée par un tourbillon dans lequel une écorce n'en finissait pas de tourner. Elle tentait de l'attraper mais le bois s'échappait sans cesse. Ma caméra était sur la table. Jo arrêta mon geste. Laisse, dit-elle. Debout derrière moi, elle fixait le désert au-delà des falaises de terre, sa main sur mon cou. J'aimais ce geste tendrement répété qui me laissait comme un enfant après le chagrin, épuisé. Elle m'avoua qu'elle avait été follement amoureuse et jalouse. Ce furent des jours de torture dont elle avait été elle-même le bourreau. Auto-analyse de Jo Traoré, dite Sélavy. Michel avait été son grand amour et c'est avec elle qu'il aurait dû vivre. Elle était trop près sans doute, et bien qu'elle lui ait ouvert la porte violette, il n'avait jamais décelé l'évidence. Elle non plus n'avait pas su.

— J'aurais voulu un enfant de lui, un petit métis, tu vois la bêtise.

J'étais étonné par cet aveu, mais restai silencieux. Nous avions vécu à Paris des années délicieuses d'insouciance grâce à Jo, et notre liberté, c'était elle.

— En regardant le fleuve, Jo, est-ce que tu deviens nostalgique ?

— Le Niger n'est pas la rivière de Michel, c'est la vie, même si l'eau qui coule est déjà le passé des peuples en amont, c'est mon présent à moi. Ce piroguier est la vie de l'instant, Marc.

L'homme tentait de rejoindre l'autre rive. Il semblait ne jamais finir de remonter le fleuve. Il a posé son pied dans les hautes herbes et tranquillement attaché sa pirogue. Tout se fait, ici, comme le temps, vélocité abolie. Qui bouge dérange. La menace du vide saisit alors le blanc soucieux hors de ses repères. Il laisse le plomb laiteux se poser sur sa nuque et l'humidité poisseuse coller à sa peau. L'oppression, dense, un instant évincée par une bière trop glacée, revient, sourde et efficace.

Il y a avec cela une menace dans ce calme profond, cette paix acquise : l'oubli. Le pied ne marque pas sur la latérite. Il faut une farouche curiosité pour sortir de cette torpeur, mais si l'œil travaille au défrichage des visages, à la découverte des horizons sableux, des cérémonies occultes, alors l'Afrique se réveille et danse avec la poussière. Elle n'est pas seulement un bavardage matinal, une présence soudaine, c'est un cri, un témoignage des origines. Le rire cache la violence, la vie séduit la mort. Le désert oblige à l'essentiel, le regard se perd. Il n'y a plus aucune frontière à l'imaginaire. Seules parfois le soir, les ombres dessinent sur la dune des formes reconnues et la pensée égarée revient au bercail des hommes.

— Jo, que l'on ne me dise pas que devant ce spectacle ceux du désert, les ascètes, les ermites hallucinés, les prophètes, n'ont pas été ébranlés par le mirage féminin, par l'ombre brune entre deux dunes, les fesses de sable à l'infini, les seins de silice sous la voûte céleste, et que leurs rêves n'étaient que lumière divine. Dis-moi qu'ils furent eux aussi frappés par la jouissance et qu'au matin, mêlé à la rosée, leur sperme en témoignait.

Jo avait ri, puis avec une ombre elle avait dit que Michel aussi avait dû jouir douloureusement, seul, avec un peu de lui qu'il laissait dans le sable, un peu de sa raison à chaque fois.

— Qui est cette Maïmouna ? avait soudain demandé Jo.

— Je ne sais pas.

– Belle?

– Terriblement.

J'ai deviné un petit sourire amer que je ne pouvais voir.

– Les Peules sont féroces, n'est-ce pas ? Elle n'était pas le vent, mais une hyène. Salope de négresse.

Je me retournai pour voir notre Jo, Peule malienne, qui n'était ni salope ni hyène et qui pleurait.

– Je dis des bêtises, c'est la première fois.

Je lui pris la main en riant et elle s'est assise sur mes genoux comme une enfant. La petite fille nous regardait, le visage lumineux. Elle fit un signe.

– Maïmouna était seulement l'inaccessible bonheur de son voyage précipité, je crois que cette fille n'existe pas. Il y a des hommes qui n'aiment que les femmes mortes, leur souvenir, une image, l'autre part d'elles, invisible, qu'ils veulent explorer comme le monde, sans relâche, pour comprendre. Un jour, dans un bar à La Rochelle, j'avais vingt ans, un type m'a cité Claudel que je n'avais jamais lu : "Il ne faut pas comprendre, il faut perdre connaissance."

– Viens perdre connaissance, avait murmuré Jo. Je l'avais suivie dans la case. On chantait du côté de Saint-Joseph, un chœur d'enfants. Nous allions faire l'amour comme une messe.

Avec des images des bords du fleuve, le chant des femmes, des mains perdues sur les tissus, des bavardages, des gueules de vieux derrière les flammes et les restes du journal de Babo, je rentrai avec la ferme intention de faire un documentaire sur Michel. Jo m'avait accompagné jusqu'à Bamako. Elle voulait des bouquins et de la robinetterie pour L'Iguane. Elle était aussi à l'aise en littérature qu'en plomberie. Samba s'occuperait des deux routards hollandais qui s'étiolaient dans une des cases de

L'Iguane. Ils ne bouffaient que du riz sauce poulet sans le poulet et avaient beaucoup de mal à échapper à l'envoûtement. Ils s'en iraient quand le shit leur manquerait, il n'y avait aucun fournisseur dans le coin. Jo et moi avons pris une chambre à l'Hôtel de Paris le temps de nous embrasser et lui promettre de ne pas revenir dans quinze ans.

— J'écrirai tes commentaires sur Michel et tu viendras les chercher.

Elle n'a jamais écrit les textes parce que je n'ai pas pu faire un documentaire sur lui. Je ne suis jamais retourné du côté de Matam.

# 4

Paris a eu le culot de m'accueillir avec des trombes d'eau. Il tombait de la glace pilée, une grosse colère dont je n'étais pas responsable, et je savais déjà que je n'attendrais pas le printemps pour trouver le bonheur. Ce n'était pas collé au cul d'un camion qui fumait du dioxyde que j'allais le trouver. C'était un cauchemar pour qui avait encore le goût du gingembre dans la bouche et le souffle de Jo sur la nuque. J'étais prisonnier, pieds et poings liés, dans un taxi parisien piloté par un Sénégalais en exil, à six heures du soir en hiver. Le périphérique, comme un long serpent, poussait des cris avec des lueurs tueuses, jaunes et mouillées, et les motos folles sillonnaient comme des hors-bord entre les carcasses luisantes. Les couleurs se nouaient, s'étiraient jusqu'à la rupture avec des morves rouges sous les ponts de fer et le béton incendié. Je voyais des visages blêmes se morceler en cristaux derrière les pare-brise.

Le chauffeur avait tenté d'adoucir la transition en me demandant si les vacances avaient été bonnes mais j'avais du mal à lui dire que j'avais fait l'amour après un enterrement dans une case "luxe" de Jo Traoré Sélavy et que j'aimerais bien y retourner. Qu'est-ce qu'il foutait ici ce noir, à bouffer du carbone et rire de l'agitation blanche ? A la Bastille, manif et bouchon pour de bon. Qu'est-ce que c'est ? demandai-je. Une manif, monsieur. Oui, j'ai vu, mais qui manifeste ? Le Front national, monsieur. Pas bon pour vous, ça ! C'est bon pour personne ! J'ai payé le chauffeur et suis rentré à pied. Sac sur l'épaule, j'ai filmé des gueules sympathiques pleines de tendresse qui me dissuadaient fermement de laisser tomber. Ces types ont le regard câlin et on est vraiment tenté de leur obéir. Je me suis camouflé dans une cage d'escalier avec vue et j'ai pioché au hasard. Il n'y en a pas, elle était au milieu des tronches, en civil, superbe sous la pluie et une banderole qui ne revendiquait rien d'autre que Le Pen Président. Ce fut une drôle de secousse. La petite soldate blonde m'avait caché l'essentiel.

J'étais à Sarajevo pour un tournage. Drôle d'endroit pour filmer la beauté du monde. La guerre était partiellement terminée depuis six mois, la mafia prenait le pouvoir et les mines continuaient de sauter dans les jardins. Ce fut un tournage sur tombes fraîches. J'avais écumé la côte dalmate quelques années auparavant, de Split à Kotor en passant bien sûr par Dubrovnik. Je me souvenais encore que les hôtels étaient allemands, les filles moins jolies que je ne l'avais espéré, que le producteur délégué serbe avait tenté de m'escroquer et que je m'étais consolé à faire des images somptueuses, âpres, des îles du vent, comme je les appelais, de cette dentelle de roches qui se baignait dans la Méditerranée, de certains visages comme j'ai toujours aimé en rapporter pour construire des histoires, réinventer la vie, laisser éclore ce que je devinais d'un peuple et d'un pays que les apparences avaient masqué. Si je n'avais pas fait cela, je serais rentré avec des cassettes vierges, mais je voulais tout filmer, même l'invisible. Cette fois, j'étais resté démuni avant de pouvoir cadrer. J'avais erré sur le bitume et devant des murs sculptés à la Kalachnikov, flâné le long de la Miljacka, ce qui était rare, jusqu'au pont des amoureux, puis sur Sniper Alley et le parc Kosévo.

Il y avait des fils jaunes dans l'herbe sèche, des mines au hasard, des planches de bois fichées dans le sol : Milankovic 1976-1996. Il n'y avait plus d'innocence. Les façades étaient des masques tourmentés, hideux, avec de larges rictus béants sur un ciel pur, qui bavaient du papier peint. Les maisons avaient les yeux crevés, des lames de verre en travers des orbites. Les toits épuisés s'abandonnaient dans les jardins que l'armée, les voisins, les oncles avaient piégés avec les jouets de la mort. Je me suis glissé dans l'habitude des autres. Je suis allé boire du vin croate devant les mosquées de l'ancienne ville turque, regarder les filles qui riaient comme pour chasser la guerre, des filles que j'avais trouvées jolies cette fois. Ce devait être cette joie, cette envie de vivre plus que quiconque, puisque échappée du massacre, qui me plaisait, ces visages qui portaient avec fierté la jeunesse survivante et qui respiraient ce printemps de Sarajevo toute pudeur dégrafée.

Qui es-tu, toi ? Croate, serbe, monténégrine, slovène, serbo-croate, bosniaque, bosno-serbe, bosno-croate ? Je suis d'ici, c'est tout ! Je suis de la vallée aux maisons soufflées sur des champs labourés au mortier. J'habite dans un immeuble à ciel ouvert, qui donne sur le vide, c'est ainsi depuis la guerre. Survie au pays bosniaque. Sarajevo, muette finalement, éreintée de secousses, profondément meurtrie, hébétée, devenue un gigantesque décor. La mort avait tout fauché. Il n'y avait pas de place pour le désespoir, ici. Une fin d'après-midi, j'ai couru sous l'orage, une pluie chaude, épaisse. Abrité sous un porche rescapé, j'attendais le miracle, et il est venu. Une voiture noire de l'ambassade de France passait devant moi dans une gerbe d'eau. Elle freina un peu plus loin, comme surprise. La portière s'ouvrit sur une femme de l'armée française. Elle courut vers moi, lumineuse dans le ciel noir.

– Marc Austère ?

– Oui.

– Je vous cherchais.

– Comment savez-vous qui je suis?

– Je vous ai vu à l'ambassade. Je n'étais pas invitée au dîner mais de garde. Si vous souhaitez filmer autre chose que le bitume, en sortir est très dangereux. Je suis chargée de vous accompagner.

Elle était sergent, l'uniforme lui allait bien. Elle était blonde, assez jolie. C'était un étrange petit soldat, une sorte de Marlène conquérante et fragile. Avec elle, j'ai vu Gorazde au bout de la route, torturée, en point d'interrogation. Ce furent les pointillés d'une vie à Sarajevo… Sarajevo comme un écho. Nous nous sommes amusés à ce jeu des désirs à peine esquissés, cette sensualité sans laquelle la vie ne serait qu'une banquise et l'art, une ascèse stérile. Je ne pouvais imaginer venir à Sarajevo uniquement pour travailler, puis repartir mission accomplie. Cette ville et ces gens méritaient une autre attention, elle aussi.

Elle restait délicieuse, insécure, presque versatile. Nous avions bu un mauvais vin italien, une étiquette trafiquée, que nous avions fini par trouver somptueux avec l'heure tardive et les phrases à double sens. Elle était adorable avec ce regard doré qu'ont les yeux verts, la tête penchée, légère, le mouvement arrêté, le temps de photographier l'oubli et l'abandon. Elle était riche d'un passé tumultueux, hésitant. Elle avait la souplesse d'un animal et la liberté offerte. Elle semblait, en ces instants, une vague heureuse, épuisée, dirait Camus, qui s'abandonne sur la grève. Elle était femme des turbulences et cherchait un abri. Elle était rieuse et douloureuse à la fois, c'est-à-dire *doulourieuse*.

Je faisais toujours en sorte de reconnaître les visages, de ne pas être "l'étranger". Parmi ceux-là, hésitants, étonnés, fermés, avides… le sien de *douloureuse*. Je lui avais laissé un mot le jour du départ : "Je vous embrasse, femme d'un moment en Bosnie-Herzégovine, femme d'un déjeuner, à boire au bord du cristal. Femme aux lèvres mûres, attentives, mains d'algues des nuits lactées.'

Je pensais à Michel qui avait écrit cela pour une autre, pour Jo. Je n'ai fait que rajouter Bosnie-Herzégovine. Je n'avais pas vu dans ses yeux dorés la lame tranchante, froide, c'était hors la chair. Je croyais savoir lire les possibles suites dans le regard des femmes, leurs gestes, leurs dénégations mêmes. Eh non, tu n'as rien vu, tu t'es fait piéger comme un bleu que tu étais quand tu naviguais. Tu n'as vu dans le miroir vert que la projection d'une Marlène en guerre, fougueuse, brûlante la nuit et souple le jour avec une acuité que tu admirais et qui n'était qu'un stylet aujourd'hui sorti du fourreau. Bye-bye, Marlène.

Rue Vieille du Temple, ma boîte aux lettres était bourrée jusqu'à la gueule et vomissait des enveloppes inutiles. Le petit atelier sous les toits était glacial, je l'ai réchauffé avec les plaques électriques sur 6, un nescafé bouillant, un pull doudou. J'ai dépouillé le courrier comme le gibier, sans plaisir, j'ai déshabillé les lettres sans désir avec la rage d'en finir et je me suis mis sous la couverture du canapé-lit. J'ai très vite basculé, sans résistance, avec une lourdeur délicieuse, vers des abîmes qui l'étaient moins. Michel agonisait sur un tumulus en me tendant une main que je n'arrivais pas à saisir et Jo avec L'Iguane s'éloignait au milieu des eaux, en me souriant. Elle était emportée par une crue soudaine du Niger, sa case-navire sombrait. Elle allait disparaître. Je ne sais pas où j'étais pour la voir ainsi, mais je ne pouvais qu'assister, impuissant, au départ de mon amie. Ce n'est pas le Niger, Marc, criait-elle, c'est la rivière nostalgie. J'ai remercié le téléphone qui décida d'interrompre ce drôle de voyage. Je n'aime pas les siestes d'hiver, je me réveille avec un terrible sentiment de solitude.

– C'est moi !

Elle était toujours là au bon moment, salvatrice. Merci, Camille, qui allait dissiper ma morosité et qui, sans le savoir, venait de me retirer une pierre du ventre. J'avais besoin d'air. Je me suis armé contre la froidure avec l'adresse d'un crapaud dans une fondrière, j'ai retrouvé ma moto et un peu de liberté.

J'habitais au 8, sans cour, mais la concierge du aimait les voyages et elle avait une cour. J'avais per mission de laisser mon engin près des poubelles. Tout cela n'aurait aucun intérêt si, en dehors de l'avenante concierge, il n'y avait le visage de Marguerite derrière la fenêtre du premier étage. Quelle que soit l'heure, elle frappait au carreau pour me signaler sa présence, suivi d'un petit signe enfantin et charmant. Je n'ai jamais su son nom, mais Marguerite lui allait bien. Aux premiers jours de l'automne, un matin, derrière la vitre embuée, elle avait tenté d'ouvrir sa fenêtre, qui était restée close. Elle avait alors dessiné une marguerite et, dans le cœur de celle-ci, elle me montra son petit visage déçu mais souriant. La fenêtre ne s'est jamais ouverte. Elle était là, c'est tout.

C'était un rendez-vous qu'il n'était plus question de manquer. Je crois même que si le privilège de garer ma moto m'avait été enlevé, je serais venu chaque jour pour saluer Marguerite. Elle comprenait mes absences et sem-blait toujours heureuse de me voir. A peine étais-je entré dans la cour qu'elle frappait sur la vitre et me grondait du doigt. Je lui souriais avec un baiser au bout des doigts et elle restait appuyée à la vitre pour me regarder partir. Elle me suivait jusque sous le porche en tirant son cou et en essuyant la buée pour ne rien perdre de ce moment. Pourquoi n'ai-je jamais tenté de monter le petit escalier de bois pour frapper à sa porte? Sans doute le désir inconscient de ne pas rompre le charme d'une relation aussi étrange. Marguerite m'intriguait, mais je redoutais une déception, de mettre un point à l'imaginaire.

Quand je partais longtemps, je lui montrais les jours avec les mains. Puis, j'avais fini par laisser une ardoise et une craie dans la sacoche. J'inscrivais un chiffre en lui signifiant "à peu près". Parfois, j'ajoutais "ça va?" et la réponse était toujours la même, un oui muet. J'ai livré mon nom, Marc, et j'ai vu qu'elle le prononçait. Ce furent nos plus longs échanges. Je n'avais jamais le temps, j'enfourchais ma moto comme un cheval déjà au galop et je rentrais avec un au-revoir furtif. Aux heures tardives, elle était la seule fenêtre allumée que je voyais. Marguerite avait des cheveux blancs, bouclés, en désordre, un tout petit nez et des pommettes hautes qui me laissaient croire une origine slave, des yeux clairs sans que je puisse en deviner la couleur et que je soupçonnais gris. Elle semblait sereine, lisse. Je la trouvais belle.

J'ai gardé des images d'elle. Un dimanche, je l'avais filmée, avec son accord. C'était le jour de mon départ pour l'Afrique. Elle était restée sans bouger, sage, patiente, le regard fixé sur l'objectif, un peu inquiète tout de même. Elle n'a jamais souri, dans aucun plan. Cette cour un peu triste, la pierre sombre comme un cadre autour de son visage immobile, le temps maussade avaient laissé des images en noir et blanc, des images qui semblaient anciennes, des images d'avant la couleur. Marguerite est restée ainsi dans ma mémoire.

Cette fois, mon voyage s'était prolongé plus que de coutume et hors mes prévisions. J'ai passé le porche, déjà tendu vers elle, et je n'ai vu que le reflet d'un ciel menaçant dans la vitre sale. J'ai attendu qu'elle apparaisse. J'ai mis mon casque, mes gants, je me suis assis sur la selle. J'ai appelé Marguerite, plusieurs fois. J'ai même fini par lancer un gant contre la vitre. Il est retombé dans une flaque, inutile. Je revenais d'Afrique, je n'étais pas pressé mais sincèrement inquiet. J'ai grimpé en courant le petit escalier, j'ai frappé à la porte, attendu et de nouveau appelé, rien.

C'était une absence qui me chagrinait. Je me sentais soudain démuni de n'avoir pas son visage comme un droit d'entrée, comme un impôt, aurait dit Michaux, un impôt que j'avais plaisir à payer. Je ne connaissais pas cette femme et pourtant elle faisait partie de ma vie. Elle pouvait seulement s'être absentée chez des parents, des amis, mais je devinais sa solitude. Elle pouvait être souffrante et je voulais savoir où on l'avait emmenée. Pourquoi tant de sollicitude pour une étrangère qui n'était qu'un regard derrière un carreau? Elle était une présence indissociable de mes séjours dans la cité. Elle était une part de mon tout dont je me sentais soudain responsable. Camille m'attendait. Je frappais une dernière fois en appelant Marguerite et redescendis dans la cour pour constater la désertion de la concierge.

Les quais, l'île Saint-Louis, Ma Dame la cathédrale, c'est beau Paris, même en hiver. Mais tu n'as pas ma préférence, ma jolie, je suis un homme marié au voyage. Je t'aime en éphémère, pour des petites nuits, des courtes distances, des fragments. La salle de montage en est un avec l'inévitable odeur de café, de clope froide, même si Camille ne fumait pas. La mienne était dans un immeuble vétuste au dernier étage sans ascenseur. Elle avait le mérite d'être libre au gré de nos caprices. Camille montait le soir et parfois la nuit qu'elle aimait passer là avec les voyages qu'elle ne ferait jamais. Maîtresse du lieu, elle régnait avec calme sur les images du monde. Frileuse, un châle rouge sur les épaules, elle travaillait avec ferveur et ne sortait de son royaume qu'avec regret. Le café était chaud et elle m'accueillit comme si j'étais parti la veille, replongeant son nez sur l'énigme à résoudre. Je revenais des terres d'Afrique, encore en apnée, pour celles de l'Amazonie où je ne manquerais pas de retrouver le visage de Michel avant son grand départ.

La salle de montage est une autre chambre, un autre lit, une boîte noire où se fabrique le cinéma. Camille, déjà à l'âge de la retraite, ne quitterait cette passerelle de veille qu'à la fin de son histoire à elle. Nous passâmes notre mille et unième nuit ensemble, pour le meilleur et pour le pire, qui ne dépassait jamais qu'un questionnement ou un léger désaccord qu'elle balayait avec une calme autorité. C'est toujours elle qui avait raison. Elle avait fini par aller dormir après une séquence de ville en marche sur les eaux du fleuve Humaitá, une ville aveugle et droguée au mercure, soûle, titubante, armée de turbines et de compresseurs. Une ville flottante sur laquelle naviguent les esclaves de l'or. Une ville en fièvre avec une femme par barge, femmes à tout faire, ménage, cuisine et le reste. J'étais resté pour voir les fraises tourbillonner dans l'eau du fleuve tourmenté, boueuse, déchirée. Je me souvenais de cette femme au visage triste que les hommes jeunes et vieux emmenaient en cabine à tour de rôle pour éteindre les fantasmes encombrants. Je me souviens de son petit sourire qui me disait viens si tu veux, un de plus, un de moins, c'est pas une affaire. Les types riaient et je garde ces rires dans le dos de la petite silhouette. J'ai cherché Michel dans l'éparpillement des rushes, les derniers plans d'un voyage que nous avions fait ensemble et que je n'avais pas encore montés, par superstition peut-être. J'ai laissé une image fixe de lui dans la forêt, au petit matin. Il pleurait dans la fumée d'un feu mal éteint en regardant la caméra. J'ai soudainement tiré les rideaux et Michel s'est évanoui avec le jour.

Il était tôt et je décidai d'aller voir Marguerite. Assis sur ma moto, je regardai vers la mystérieuse fenêtre. Je crus voir une petite lueur quelque part, derrière les reflets. J'appelais Marguerite mais aucun visage n'apparut. Où êtes-vous ? Sur la vitre de la concierge, il y avait le petit écriteau "Je reviens de suite". J'ai accroché la rambarde et me suis projeté à l'étage. J'ai frappé en appelant Marguerite, j'ai attendu. Même avec des béquilles, elle aurait déjà ouvert. Marguerite ? Peut-être est-elle totalement sourde ? J'ai frappé encore, très fort cette fois, et, découragé, me suis détourné pour partir quand la porte s'est ouverte dans mon dos.

— Vous cherchez quelqu'un ?

— Oui, je voulais voir Marguerite.

— Il n'y a pas de Marguerite ici, vous devez vous tromper d'étage.

— Non, c'est ici, mais peut-être ne s'appelle-t-elle pas Marguerite. Je ne lui ai jamais vraiment parlé.

L'homme me regardait sans comprendre. Je lui ai décrit mon amie. Il acquiesça. Je lui racontai mes rendez-vous de regards sans qu'il en fût ému le moins du monde et il me répondit qu'il était son fils, qu'elle s'appelait Irina et qu'elle était décédée deux semaines auparavant. Je restai muet un instant avant de murmurer que j'étais désolé.

— Ne le soyez pas, elle n'avait plus toute sa tête et c'est mieux ainsi.

– Je ne sais pas, peut-être. Où est-elle inhumée ?

Il attendit un instant avant de répondre au fou que je semblais être.

– Au cimetière russe de Malakoff.

– Et quel est son nom, enfin votre nom ?

– Viemski. Pourquoi tout ça ?

– Je ne sais pas, monsieur, sinon que j'ai aimé son regard, son sourire triste, son cœur sur la vitre, son impuissance, sa vieillesse solitaire, abandonnée, la vie dans cette cour sinistre, la vie.

Je suis redescendu avec mon chagrin quelque part, dans un endroit inhabituel entre le cœur et la mémoire. La concierge m'arrêta.

– C'est vous ? Je me demandais qui appelait "Marguerite".

La concierge connaissait notre relation très particulière. Ça l'amusait et elle aimait bien Irina. Elle lui faisait ses courses et son ménage.

– Vous avez vu le fils ? Pas très causant et pas bien gentil avec sa mère. Il ne venait jamais. Il m'a demandé de tout déménager. Elle n'avait pas grand-chose, mais il ne veut rien garder. Elle est partie comme ça, en dormant. Je l'ai trouvée aussi lisse qu'une enfant. Il y avait des lettres qu'elle écrivait à son fils, mais je crois qu'elles sont pour vous. Il n'en voulait pas, il ne les a jamais lues. Il disait qu'elle était folle. Elle était un peu bizarre, c'est tout.

Un peu surpris, j'ai pris la première enveloppe. La lettre manuscrite me touche. Elle recèle toujours un secret, un autre que celui du contenu en phrases, ce n'est pas de la graphologie primaire, mais par le dessin des lettres, des mots, on devine le dessinateur, l'auteur, sa main, son stylo, ses pensées qui se chevauchent et dont il reste peu sur le papier. Celle d'Irina était laborieuse, appliquée, et révélait peu de choses hors ce qu'elle avait le courage de dire. Elle commençait ainsi : "Léo, es-tu si loin pour ne pas venir ?"

Je me sentais indiscret, mais la concierge m'encouragea à continuer.

"Me pardonneras-tu un jour cette passion ? Je n'ai pas préféré cet homme à mon fils, j'étais amoureuse, Léo, profondément, désespérément, et je le suis encore aujourd'hui. Ton père m'a épousée parce que j'étais enceinte de toi et que, dans son monde, on assume ses responsabilités, ce que je n'ai pas eu la force de faire plus tard, quand cet homme est entré dans ma vie. J'ai accueilli l'amour, Léo. Je ne t'ai pas laissé, ton père t'a repris et sa famille t'a élevé dans le désamour de la mère. Cet homme que tu as détesté a tout tenté pour que tu puisses nous aimer. Pardonne à mon amour. Il s'est brisé si vite. Lui était déjà malade quand nous nous sommes rencontrés, mais on n'abandonne pas ce qui vous est donné de plus précieux au monde, et qui, je le sais aujourd'hui, est si rare. On n'abandonne pas un homme qui vous apporte le bonheur, aussi bref s'annonce-t-il, pour revenir vers celui et ceux qui ne vous supportent que parce que vous êtes la femme officielle et la mère biologique. La vie est ailleurs, Léo, et j'aurais tellement aimé qu'il y ait près de toi celle que tu n'as jamais rencontrée et qui t'a laissé si dur, imperméable, intolérant avec le bonheur des autres. J'ai peur que tu ne saches pas, comme ton père, ce que c'est que des bras ouverts dans lesquels on se réfugie, ce désir d'être à l'autre, ces instants à vivre sur l'instant sans penser à la seconde qui va suivre. Être enfin regardé. Être soi, tout entier vers l'aimé. Être, tout simplement. J'ai eu la joie des heures saintes avec lui, jusqu'à l'insupportable parfois. Cet amour m'a appris bien autre chose et j'étais si loin de toutes les lois du paraître, des faux-semblants, j'étais heureuse avec lui. J'ai voyagé, j'ai vu le monde des autres et j'ai aimé. Ce furent de si courtes années. Quand il est parti, j'ai refusé les obsèques de l'amour.

Tu ne veux pas lire mes lettres, elles me reviennent comme si tu n'existais plus. Pour moi tu es là, toujours. Bien avant que je le rencontre, tu avais clos en toi, depuis l'enfance, cet amour qui est le sens même de la vie. Tu avais banni tout chagrin. Je n'ai souvenir d'aucun sanglot. Tu n'auras jamais su ce qu'est le désarmement devant le bouleversement amoureux, le don de soi, l'acceptation délicieuse d'être lié à l'autre, l'abandon soudain. Tu n'auras jamais aimé ou avoué aimer, ce qui est probablement pire. Le véritable amour est libre, c'est aujourd'hui, sans lui, que je suis prisonnière, mais ta souffrance est plus grande que la mienne. Je ne fais que recopier mes lettres, elles contiennent toutes le même amour pour toi, et pour lui, que j'aimerai au-delà de la mort quoi que tu en penses et combien tu puisses en souffrir. J'aurais aimé que tu sois son fils. Je voulais un enfant de lui, divorcer, me remarier, mais c'était trop tard, alors on s'est accrochés à ce trésor fragile qui nous était offert. Peut-être liras-tu tout cela quand je serai partie. Je continue à t'embrasser chaque jour comme je le faisais quand tu étais petit et que tu t'échappais de mes bras et de mes caresses. Peut-être que je n'ai pas su. Je n'ai rien fait d'autre qu'aimer, Léo, que de t'aimer depuis le premier jour même si la présence de ton père n'était qu'indifférence. Je ne lui en veux pas, il n'a jamais su reconnaître l'amour et il est parti sans jamais savoir ce qu'aimer voulait dire. Je l'ai plaint sincèrement. Puisses-tu connaître un jour l'embrasement qui mène à la paix. J'ai eu cette chance inouïe, Léo, mais il faut ouvrir le cœur, déverrouiller l'armure. On ne nous apprend pas, mais toi, je t'en supplie, apprends au moins à pleurer.

P.-S. Il y a un homme qui vient ranger sa moto dans la cour, nous nous saluons depuis le début, il lui ressemble tant, le même sourire, la même fougue. Maman."

J'étais bouleversé et très gêné de m'être laissé aller à cette lecture, de fouiller sans accord la vie de Marguerite. Je grondai gentiment la concierge. Elle me dit que le fils lui avait demandé de tout foutre à la poubelle, les lettres aussi, et de vendre le reste.

– Quel reste?

Armelle me tendit une autre enveloppe. Je refusai.

– J'ai tout lu, vous savez. Irina m'a maintes fois raconté sa vie et j'aimais cet amour. Lui est resté sans visage, elle n'a jamais montré de photo, mais je le vois très nettement, cet homme. Elle parlait tant de vous. Ne lisez que les P.-S., eux seuls vous concernent.

Je n'ai pu résister à la curiosité de continuer.

Le premier post-scriptum datait du printemps dernier.

"P.-S. Cet homme qui vient dans la cour doit être cinéaste. Parfois, il s'absente plusieurs jours.

P.-S. Ce matin il a fait le clown avant de prendre sa machine. Il a dû deviner que j'étais triste de voir encore ta lettre me revenir.

P.-S. Je sais que tu habites bien à cette adresse, une amie est allée voir. Si j'avais eu mes jambes, je serais venue et j'aurais crié sous ta fenêtre. Le cinéaste s'est absenté, il m'a montré ses doigts, huit jours. J'attendrai.

P.-S. J'ai dessiné une marguerite sur la buée de la vitre. Il a souri et m'appelle Marguerite. Je ne veux pas qu'il monte, je ne suis pas présentable.

P.-S. Il a apporté une ardoise sur laquelle il marque les jours et les dates de ses retours. Nous bavardons silencieusement.

P.-S. Parfois, j'ai l'impression que c'est lui et j'ai le cœur qui saute.

P.-S. Il est revenu, mais il semble pressé, juste un signe.

P.-S. Il m'a envoyé un baiser avec la main, comme mon amour le faisait, avec les mêmes yeux plissés. J'ai pleuré.

P.-S. Il a écrit sur l'ardoise : Afrique, trois fois dix trente avec un cœur et des ailes. J'enverrai une carte. Pourvu qu'il n'attrape pas de mal, là-bas. Un mois sans le voir, sans cette présence, ce petit geste qui me dit que je suis encore reliée au monde. Il m'a filmée avant de partir pour m'emporter avec lui.

P.-S. Il me manque terriblement.

P.-S. Voilà trente-cinq jours qu'il est parti et la moto reste muette.

P.-S. Il ne reviendra plus, c'est fini.

P.-S. On s'aimait tellement lui et moi, il était malade, si faible les derniers temps. Il a serré ma main et murmuré : 'Je t'emporte, c'est mieux là-bas.' Il a souri et s'est éteint."

La dernière lettre, comme les trois précédentes, n'avait pas été postée. Elle était brève : "Léo, je ne peux pas vivre sans lui, il a été mon bonheur, ma source, il me tend la main et je viens."

Armelle me regardait, grave.

– C'était vous, l'amie ? dis-je.

Elle acquiesça.

– Sur la fin, elle n'avait plus toute sa tête.

Pas certain, pensai-je. Elle me demanda de garder les lettres.

65

J'ai pris le petit paquet sans réfléchir, comme un héritage, et je suis allé à Malakoff. J'étais riche de ce secret et ma moto ronronnait. J'ai demandé Irina Viemski et je suis allé me recueillir sur la terre encore fraîche. Il y eut un miraculeux rayon de soleil, le temps de nos adieux. Irina avait eu un bel amour et elle était partie sans autre tristesse que celle de quitter une absence, un manque, une négation de l'amour par celui qui était le fils du père et qu'elle ne reconnaissait plus. J'ai gardé ses lettres. Marguerite me rappelait aussi que j'avais une mère qui vieillissait en attendant mes visites ou ma voix au téléphone, ma mère qui se désunissait. Elle était là-bas, à La Rochelle, la ville d'Amélie, celle de mon enfance tournée vers la mer et des rêves à n'en plus finir.

Avant de retrouver Diego pour plusieurs semaines dans sa retraite andine, je passai la voir, elle m'attendait. Je soupçonnais qu'elle souffrait de mes absences prolongées, qu'elle fatiguait de ne plus voir que des ombres à la place des visages, deviner ce qu'était la vie. Ce port qu'elle ne pouvait qu'imaginer l'attirait toujours et elle ne voulait que le bras de son fils, et non celui de l'infirmière. Elle s'ennuyait, sans se plaindre. Je l'ai appelée, elle était souffrante. Je viens, maman! Mais non, ne change pas ton programme. Mon programme, c'est toi. De toute façon je ne serais pas parti au Chili sans venir t'embrasser.

# 5

Dans le train il y avait peu de monde, c'était l'hiver et les bains de mer attendraient l'été. Il y avait une femme métisse qui me rappelait Jo. Elle avait les yeux clos, délicieusement abandonnée, la tête vers la fenêtre. L'enfant tétait un sein caramel, un téton de soie vive, frémissant. Il avait posé une main miniature sur l'échancrure du corsage. Une perle de sueur glissait irrésistiblement vers une fine gorge sombre, une perle de lumière avec laquelle je me glissais entre deux boutons de nacre. Le train fuyait. Une voiture rouge traversait un damier. Plus loin, le marais était dans la brume avec des peupliers au fusain, des haies comme des frises, avec l'eau noire sous les lentilles d'eau, et au-delà la ferme fortifiée des sœurs Pozzi. Depuis les bivouacs entre les douves et la disparition des vieilles dames protestantes, je ne suis jamais retourné là-bas. Sous les frênes au bord d'un ruisseau, après avoir marché sur des braises, affronté la nuit hostile, nagé dans l'eau sombre sous la lune qui dessinait d'inquiétantes silhouettes, subi quelques tortures morales et physiques, prouvé mon courage et que j'étais digne de basculer dans le clan des grands, j'avais reçu mon totem "Taurillon furieux" du conseil des chefs, totem qui reflétait fidèlement mon caractère bouillant et révolté. Je ne regrette rien de ces épreuves initiatiques, dignes des plus grandes traditions cheyennes. Je suis fier d'avoir été peint à la farine et au charbon de bois, tremblant sous les étoiles, et de connaître les terres mystérieuses de la peur et de l'imaginaire.

J'aime les trains, ceux de la nuit surtout, à mon poste de guet, le front sur la vitre froide. Depuis l'enfance je suis hypnotisé par la course des rails, l'acier qui raye les reflets des visages. Il y a des villages fantômes, des usines qui fument comme de gros dinosaures. J'avalais les éclairs. Je me souviens de cette femme à l'autre bout du couloir, penchée vers la nuit, immobile, le visage giflé par la lumière. Elle se tourna, me regarda un instant et se dirigea vers moi. J'avais le cœur battant, elle était jolie. Elle passa sans me voir et j'attendis son retour. Je fis en sorte qu'elle me frôlât et j'eus le plaisir éphémère d'un parfum, d'une hanche, et peut-être, je ne sais plus, de sa poitrine. Elle disparut dans sa cabine et je n'ai pas pu dormir.

J'ai serré ma mère dans mes bras. Elle était heureuse de me voir ici pour quelques jours. Elle allait mieux. Je l'ai emmenée déjeuner dans un restaurant du port, toujours le même, comme elle aimait, salade de raie, œufs à la neige.
— Tu veux que je t'aide?
— Si tu veux.
Elle portait la fourchette à sa bouche en hésitant. Le chargement était instable. Souvent la nourriture restait dans l'assiette ou s'échappait au bord des lèvres. Je me prenais à regretter que l'on ait inventé cet engin de torture pour les enfants et malvoyants alors que nous étions si doués avec les doigts. Elle prenait le chemin de son père qui avait terminé sa vie aveugle. Les quelques déjeuners que j'ai pris avec lui en compagnie de la mamie Suzanne n'étaient guère charitables. Ma grand-mère était une femme douloureuse depuis toujours, mariée à seize ans, elle n'aimait pas les enfants ou, pour être plus exact, ne les supportait pas. Drôle d'enfance pour les suivants

et peu d'amour en échange. Mon grand-père adorait les glaces et son handicap le conduisait irrémédiablement à une tragique bérézina.

— Tu t'en mets partout mon pauvre ami, c'est dégoûtant, pourquoi tu t'obstines à manger ça? Pour le diabète non plus, ce n'est pas bon.

Grand-père n'avait plus droit à grand-chose de la vie, alors il posait sa cuillère, tirait le premier bout de tissu qui lui tombait sous la main et tentait un nettoyage aussitôt repris en mains agacées par sa femme en charge de la bonne tenue du couple et surtout soucieuse du regard des autres. Je voyais alors le désarroi d'Aimé et ses yeux mouillés comme un éternel chagrin.

— Je n'en veux plus, disait-il comme un enfant malheureux.

Je me souviens de sa lassitude. Deux choses le poussaient à partir, cette cécité coupable qui avait obscurci sa vie sans révéler de fenêtres intérieures et la disparition à vingt ans de son petit-fils noyé dans le goulet de Brest. Jamais Grand-père ne s'était plaint, excepté ce jour où j'étais resté avec lui, un après-midi d'été, parce qu'il ne pouvait pas sortir tant le soleil lui faisait mal. Nous tentions un bavardage léger à propos de la mer et des bateaux sur lesquels il avait travaillé. Soudain, dans un sanglot, il m'avait dit :

— J'en ai marre mon petit, je voudrais arrêter ça.

Je l'ai vu sur son lit d'hôpital, les yeux grands ouverts, le regard vers l'intérieur. Suzanne fixait le pied du lit en fer. La peinture beige s'écaillait. Elle l'aurait bien grattée avec le bout de sa chaussure, mais elle était paralysée d'ennui.

La veille, une amie était venue le voir pour lui dire que Jean, son mari, était dans la chambre voisine. Aimé avait simplement répondu :

— Dire qu'on est si près et déjà si loin.

Depuis, il n'avait plus prononcé un mot et regardait, au-delà des vivants, un petit voilier s'éloigner de la côte. Son petit-fils, qui lui ressemblait tant, était à la barre. Il avait les yeux pâles comme lui, était fragile comme lui, avec le même sourire. La mer était devenue mauvaise, d'un coup, comme ça, et la coque grimpait péniblement les vagues pour retomber brutalement dans l'écume. Il y avait un ciel de papier brûlé, des lambeaux de carbone. Aimé suivit le petit triangle blanc jusqu'à ce qu'il eût disparu, le vent redoubla de violence. Il fit quelques pas sur la plage et s'endormit. A son réveil, le plafond jaune sale de la chambre d'hôpital était devenu presque noir, la nuit était tombée et Suzanne partie. Alors, il retrouva la tempête.

Aimé restait droit, les pieds dans l'eau. Il cherchait le petit triangle blanc et la mer montait. Il était tard et, seul sur la plage, il appelait son petit-fils. Quelqu'un lui touchait la main, il souleva les paupières lentement. Ses yeux lui faisaient très mal. L'infirmière avait allumé la lampe. Elle savait pourtant qu'il avait mal avec la lumière, lui qui ne voyait que quelques ombres traverser le brouillard. Parfois, des petits vaisseaux éclataient et le brouillard se teintait de rouge.

Cette infirmière l'agaçait, à lui prendre le pouls à cette heure et dans son état. C'était risible. Le cœur flanchait, parce que Aimé lui avait demandé de ne plus lutter. Le reste était trop fatigué, trop épuisé, alors à quoi bon que le cœur soit fidèle.

— Allez, repose-toi mon vieux, l'infirmière est partie.

Quelqu'un était venu s'asseoir près du lit. Un visage s'était penché au-dessus du sien et lui faisait beaucoup de bien, à cause de la lumière qu'il cachait.

— Eh bien, mon pauvre Aimé !

C'était Suzanne, elle était de retour. Il lui aurait fallu un tel effort pour prononcer un mot qu'il n'envisageait pas une réponse. Que répondre à : Eh bien, mon pauvre Aimé ! Pauvre et Aimé. Ils s'étaient pauvrement aimés, je le sais. Ce bien que l'ombre de Suzanne lui faisait, elle n'en savait rien et n'en saurait jamais rien, et lui se disait que c'était toujours ça de pris à l'aigreur.

Le visage s'était retiré et la lumière de nouveau lui brûlait les yeux à travers ses paupières closes. Il esquissa un sourire, une sorte de petite grimace. C'était sa réponse. Ce soleil était féroce, un soleil d'après tempête, très blanc. Heureusement qu'Aimé avait ses lunettes noires, ça le soulageait beaucoup. Il avait passé la nuit sur un rocher. Il y avait eu beaucoup de vent, de grosses vagues noires et au loin des sirènes, ou des plaintes. Il ne savait pas.

A califourchon sur la pierre, il regardait les crêtes phosphorescentes. Il y avait de grandes algues noires, les poissons se retournaient comme des pièces d'argent. Le rocher avait quitté la côte et filait vers le large, mais Suzanne fit tomber quelque chose et le rocher coula. Il se sentit uriner dans le drap, une éternité, puis la mer se retira.

Sur la vase, un lambeau de voile séchait au soleil sur des planches de bois.

Pierre avait vingt ans et son papy se souvenait. Il n'avait jamais pardonné à la vie. On avait retrouvé le corps enchaîné aux algues, une main vers la grève. Aimé avait fait les huit cents kilomètres qui le séparaient de son petit-fils pour venir l'enterrer avec la famille dans le grand cimetière de Brest.

Un très long cortège sur le port. Des adolescents, des parents, des amis suivaient le cercueil. Tous habillés pour l'été, en short, espadrilles, chemise à fleurs et foulard indien. C'était un carnaval qu'Aimé suivait, aveugle et chancelant, soutenu par une jeunesse hagarde. Il se reprochait d'être vivant.

Puis il s'en était retourné, gardant sa peine pour lui. Aimé était le plus fort. Il avait décidé d'abandonner pour aller voir ce qu'il ne voyait plus ici.

La fin approchait, irrésistible, et l'aveugle ouvrait grand les yeux pour assister une dernière fois à l'anniversaire de son petit-fils là-bas sur la grève. Le jour allait se lever et Suzanne dormait. Une ombre passa, Aimé lui fit une terrible grimace et ouvrit lentement les doigts pour que la vie s'en aille.

Le déjeuner terminé, nous sommes allés sur un banc au soleil, il faisait doux.

Je regardais ma mère, blessée par l'abandon, son visage comme celui d'un enfant triste étonné par la douleur, son regard implorant l'illusoire réconfort, avec la certitude que rien ne sera plus comme avant. Elle dessinait un pauvre sourire d'excuse. Tu voudrais être sûre que l'on t'aime avec tes mots en désordre. Tu voudrais être cet enfant triste noyé dans les coussins avec des bras autour de toi qui ne te lâcheraient plus. Toi qui as veillé sans relâche, tu acceptes qu'on te veille. Tu n'as peur que du froid de l'absence.

Il te faut une main à toucher, des lèvres sur ton front tiède, une voix chaude pour faire battre ton cœur. Tu peux t'assoupir, nous sachant là. Il faut te quitter pourtant, un peu, juste un peu, le temps de vivre notre vie. Mais tu n'es sûre que du présent, demain est si loin, tu laisses couler tes larmes à ce départ ordonné. C'est presque inaccessible pour toi. Elle s'était assoupie en me tenant la main. Sommeil, aide-la à faire ce chemin. Que le réveil soit celui de ma mère, et non pas celui d'un enfant triste. Elle est si transparente soudain, ma mère, si fragile.

Le lendemain, j'ai voulu aller au cimetière sur la tombe de mon père que je n'avais jamais vue parce que j'ai toujours estimé qu'il n'était pas là mais que je le retrouverais partout dans le monde où j'allais, et il fut là souvent, peut-être trop, mais c'est ainsi. Je souhaitais savoir ce que la pierre froide me proposerait. Il y eut un orage fragile qui n'osait pas. Quelques gouttes seulement qui ont fait rire le soleil le temps de me recueillir sur le marbre gris et de relire son prénom et son nom, le mien que l'on graverait peut-être pour la mémoire. Ce n'est pas le coup de ciseau dans la pierre qui donne de la mémoire aux hommes. Je suis resté le temps qu'il fallait pour comprendre que je n'éprouvais rien dans cette cité des corps défunts et qu'il n'était décidément pas là. Qui étais-tu toi mon père, l'inconnu dont la souffrance était de ne savoir pas dire ce qui lui nouait la gorge ou lui faisait de la peine? Mon père qui fut absent de mon enfance, hors du quotidien domestique et bien heureux de ne pas y être.

Je l'ai vu plus tard, j'avais vingt ans, comme un insecte lourd, se cogner aux silences, aux temps morts, à l'impuissance surtout. Il se sentait coupable d'être loin, il resta coupable d'être revenu et de n'avoir rien à proposer qu'une routine sans éclat. Il me regardait avec des bouffées de tendresse qui le noyaient de larmes. Je le voyais dans la glace et il ne le savait pas. Il regardait cette nuque de vingt ans, dans l'ombre, avec les reflets de la télé. Il n'avait pas été un mauvais père, il n'avait pas su. Il se disait qu'il aurait pu, merde, qu'il aurait dû jouer avec lui quand il était petit, aller au zoo, dans le parc, à la plage. Il n'avait pas été là et ça l'emmerdait, les jeux de môme. Son père à lui aussi, ça l'emmerdait, mais ce n'était pas une raison pour décalquer. Ça lui aurait fait du bien, au grand, de jouer comme les mômes. Peut-être qu'il aurait été moins triste.

C'était tard pour avoir les yeux mouillés, mais il ne savait tout cela que maintenant et c'est cette frustration jusqu'à la colère qui le tuait. Il aurait bien recommencé depuis le début. Il aurait tout accepté pour ça, même la promesse d'un enfer. Il était prêt à faire et dire n'importe quoi pour tout effacer et recommencer sa vie de père et l'enfance de son garçon, mais il avait raté cette queue de singe au manège et elle ne repasserait plus. Les grands ne savent pas la place qu'il y a dans le cœur des enfants. Lui, le fils d'hier, en avait gardé une grande pour son père qui n'avait jamais su comment y entrer. Il avait pourtant rêvé de s'y mettre, comme lui aujourd'hui. Ce qu'il ne savait pas, c'est qu'il y était déjà. C'est ça, l'ignorance. Il manque le geste et le dire. L'amour, ça doit se lire tout de suite. Ce n'est pas une partie de cache-cache.

J'ai aujourd'hui ce souvenir de l'avoir surpris devant la photo sous verre de ma mère et de moi sur un buffet. J'étais encore enfant et j'étais resté à le regarder. Il revenait d'Algérie pour une permission éclair, secrète, m'avait-il dit. Il était seul en cet instant et je restais en retrait pour admirer le mystérieux soldat avec ses galons, son uniforme impeccable, sa fourragère. Il semblait prier, lui, le bouffeur de curés. Il voyait son visage en reflet dans le sous-verre, son visage au milieu des autres. Le sien était une silhouette vivante sans regard parmi ceux de sa compagne qui souriait et de son enfant. Ils étaient dans la transparence des arbres du jardin derrière lui, des visages translucides qui laissaient voir les troncs, les branches, le ciel de traîne, le tout étrangement mêlé avec son ombre à lui, qui opacifiait la paix des portraits mais qui le rassurait parce qu'ils étaient en lui, les êtres et le végétal. L'unité, en somme.

Ma mère attendait sagement sur un banc couvert de fientes. Son manteau serait souillé. Ici, pour elle, c'était avant, et elle était d'un présent qui lui pesait un peu mais qu'elle ne voulait pas quitter. La peur, une peur terrible, que tout s'arrête pour l'éternité. Je m'en retournais vers elle. Que savais-je de sa vie en dehors de quelques histoires racontées en famille, des phrases anodines qui laissaient des ombres et des aveux déguisés quand elle avait mal ? Ma mère trompée que la cécité obligeait à regarder ce qu'elle aurait voulu oublier pour avoir enfin un peu de paix. Il y avait cette enfance bousculée par l'abandon puis le piège d'un mariage qui voulait être celui de l'amour, l'enfant comme un bonheur et les coups de poignard sans cri, dans le silence de la jalousie. Aujourd'hui, il restait de tout cela un héritage qui venait de loin, des premières années de la vie et peut-être d'avant, des débuts du mariage, de l'espérance déçue avec la détresse de l'impuissance. Tout cela était si lourd que parfois un autre visage se dessinait sur celui que j'aimais, qui vomissait un mal noué, un serpent qui passait dans le regard et les commissures des lèvres, et qu'elle tentait de cracher, étonnée. Elle était dans un essaim de pensées virevoltantes, indomptables, des lames qui hachaient sa vie. Je l'ai souvent trouvée, impuissante à balayer la rancœur, effrayée par ce qui sortait d'elle. J'ai vu son visage changer, comme prisonnier soudain de la cruauté de l'autre, et rester figé devant ses peurs. Il ne lui restait alors que des gros chagrins de petite fille depuis longtemps enfouis qui la submergeaient sans qu'elle comprenne pourquoi. Ce fut une suite de mensonges comme une longue chaîne dans laquelle elle s'enroulait chaque jour, en s'exilant de la vie.

Il y avait deux oiseaux qu'elle ne voyait pas, posés près de ses pieds immobiles. Parfois, ils se chamaillaient et virevoltaient autour de ses jambes comme autour d'une statue. Elle ne bougeait pas, le visage clos. Soudain, elle chassa l'invisible de la main et je vis qu'elle souriait, un sourire doux comme ma vraie mère savait en avoir. Quand je me suis assis à côté d'elle, j'ai pris sa main. Ça y est? demanda-t-elle. Oui, ça y est. J'ai concentré tout ce que je pouvais d'amour dans sa paume, sans crispation, comme ce que je croyais être une prière, juste le chemin tranquille de mon cœur au sien. Tu as la main brûlante, tu n'as pas de fièvre au moins? Le ciel reprenait du souffle et s'ennuageait à nouveau, c'est cela un climat marin, dit-on. Avant de rentrer, nous allâmes faire une promenade dans les parcs, un pèlerinage. Où sommes-nous, Marc? Devant Pierre Loti. Elle sourit. Ton école. J'avais peu de souvenirs. J'efface ce qui m'ennuie. Il ne me restait que l'instit' poète et la chimie galère. Je voulais bien faire mais j'avais du mal avec l'école, où l'on étudie la vie des autres entre quatre murs nus, blanchis à la chaux pour un avenir déjà clos.

L'enfant ne soupçonne pas que son futur se heurte au tableau noir, qu'il se perd dans les livres, ses premiers cahiers. Peut-être avais-je deviné cela, que je n'apprenais en classe que le savoir extérieur, visible, une connaissance sclérosée. A quinze ans on ne sait pas grand-chose, on gobe encore, mais la graine de révolte germe doucement. Je soupçonnais qu'on avançait aussi avec les énergies de l'acquis et je ne rejetais pas cette connaissance des autres, cette transmission du savoir, mais je voulais, sans le définir, un futur ouvert, sans murs ni fenêtres même à franchir, pouvoir chevaucher la connaissance avec l'innocence et la virginité première, ne pas peindre ce qui a déjà été peint, découvrir des territoires vierges, défricher l'être et le monde, regarder autrement, ne pas être dans le déjà, la sclérose d'une pensée formatée, dans la nasse de la culture et des traditions. Je voulais ouvrir les mailles du filet et m'échapper des pages du livre écrit. Il y en avait un autre déjà écrit peut-être, lui aussi, mais c'était mon livre.

Je regardais au loin la mer très agitée ce jour. Il y avait des coups de vent qui frappaient les vitres, quelque chose grondait, comme une tempête à venir. J'ai laissé ma mère avec la voisine qui était là pour l'après-midi et je suis sorti. J'aime ce temps qui vous menace, vous provoque, boursoufle l'océan en une rage inutile mais belle. J'ai fait le tour du port comme un marin qui hésite à embarquer, puis j'ai filé vers le môle pour être plus près du large et regarder ce qui m'avait emmené si loin.

# 6

J'avais seize ans et j'étais impatient. Fidèle à ma jeunesse, je ne pouvais pas attendre. Je suis parti. Peut-être aussi, j'aimais ce vieux sur le quai des grumes qui me disait : tu vois, "petite goule", l'ouest, c'est à gauche sur la rose des vents si tu regardes le nord, à moins le quart, à 270°, quoi ! Pour moi, l'ouest c'est un bar du boulevard de la soif, un quai du môle face au large à recevoir les lames par force 8. L'ouest, c'est chez nous. Et l'est, monsieur, c'est où ? De l'autre côté, là-bas. C'est loin ! Point ! Ici, en bord de côte ou dans les ports, on regarde vers l'ouest, le large, et quand on appareille, c'est par là, petit. Il avait raison. Toujours à l'ouest. Je traversais l'île de Ré jusqu'aux Baleines, à bicyclette, je planquais mon vélo dans les tamaris et les chênes verts, je sautais sur la levée de pierre polie et j'allais regarder mourir le soleil. Il s'abîmait dans la mer. La coulée de lave engloutissait jusqu'au noir voiles, mâtures et passerelles de ceux qui avaient pris le mauvais cap. Je le croyais.

Sur la côte des naufrageurs, j'ai rêvé, enfant, ma vie d'homme comme un grand défricheur. Je cherchais les épaves au trésor. J'étais pirate autour d'un feu de bois flotté. Je regardais le ciel à l'envers dans les miroirs de lune. Au matin, je tenais le monde dans une poignée de sable que le vent éparpillait. Mes secrets dormaient au pied des citadelles et dans le creux des dunes. J'avais un écusson, une aile de mouette sur fond d'algues séchées, rehaussée de coquillages sacrés. Il fut enterré à la pointe des Baleines, à douze pas de la tour de gué. Plein ouest.

De là, je regardais l'Amérique par-dessus les chevaux d'écume jusqu'à y voir les Indiens. Heureux, je laissais avec volupté les ruisseaux de silice couler entre mes pieds. On ne commande au vent qu'en lui obéissant, marmonnait le vieux. Il faut connaître son maître ; le deviner, le flairer, l'écouter, mon petiot, et celui qui le premier reconnaît ce maître sera servi par lui. J'écoutais ses silences, ils étaient prometteurs. Ouais, et il n'y a que l'ouest pour les couchers de soleil, "petite goule".

C'est lui que j'allais voir, le nez au vent sous la morsure des embruns, comme les chiens, à respirer l'ailleurs.

— Le vent d'est, c'est beau temps ?

— Pas toujours, et quand même ce serait… Un bon train de nuages venant de l'ouest, gonflés de pluie pour tout laver, tout remettre à neuf et arroser les salades de ta grand-mère, c'est mieux que la bise, non ? Tu vois, mon petit, j'ai toujours eu un compas dans la tête, ça oscille, parfois trop, ça hésite, mais ça finit toujours plein ouest, comme la conquête. Ils ont tous pris ce cap, les conquérants. Je ne parle pas des tueurs, je parle des défricheurs, des curieux, des découvreurs, de ceux qui voulaient connaître le monde, pas le manger.

— On ne peut pas toujours aller plein ouest, m'sieur, y'a des terres devant ?

— On suit les côtes et on contourne. Comment tu crois qu'ils ont fait, les Magellan, Cook et autres Lapérouse dans leurs chaloupes à voile ?

— Et ceux qui habitaient à l'est, comment ils ont fait ?

— Je ne les connais pas, répondait le vieux. Y'a rien à en dire, y'a pas eu de découvertes dans ce sens-là. C'était des barbares à cheval. Ils sont partis vers l'ouest, chez nous, quoi ! C'était pas des marins.

— Vous avez beaucoup navigué, m'sieur ?

– Moi ? Y ferait beau me voir sur un rafiot, ça tangue assez sur la terre. Je chaloupe comme un bosco, ça suffit comme ça. La mer, c'est toute une histoire, je la connais par ceux qui en reviennent et encore mieux par ceux qu'elle a bouffés. Elle veut pas de moi, la mer, et moi, je l'aime d'ici.

Le vieux avait toujours regardé le large sans jamais partir. Il est mort, un automne aux grandes marées, noyé par une vague de calva. C'est lui qui m'a aidé à faire mon sac. Déjà je voulais tout voir, tout raconter. Alors, un jour, je suis parti. Je savais qu'à Veracruz les chalutiers se balançaient dans les cris et que Valparaíso dansait dans les couleurs. Avant le grand large et à quinze ans, il y avait une escale obligatoire pour apprendre cette putain de mécanique qui devait être mon avenir, alors que j'étais bon en rédaction et récitation mais nul en maths, physique et chimie. Des têtes pensantes, au collège, avaient décidé que j'étais destiné aux travaux manuels, notamment ceux de l'ajustage et de la chaudronnerie, j'avais eu raison de partir.

J'ai travaillé avec la conscience et la concentration d'un moine la mécanique théorique, certaines lois de physique élémentaire, le principe du moteur à explosion, les pompes à injection de M. Diesel, l'action de la force centrifuge sur les patins de turbines à vapeur et la création par conséquence des coussinets d'huile prêts à recevoir des tonnes de pression. Tout cela afin d'être le meilleur, de faire croire à mes réelles compétences, usurpées sur l'instant, par un "par cœur" sans faille. Les lacunes se révéleraient plus tard, mais en attendant j'avais le choix de mon embarquement et mon premier tour du monde commença à Brest. En sortant de Recouvrance ce fut plein ouest, on aurait eu du mal à faire autrement. Pour le deuxième, *idem*.

C'est en revenant de mes années de mer que j'ai retrouvé Amélie. Je n'avais connu que des amours de port qui n'étaient pas des amours mais des noyades en secousse, exception faite pour une jeune femme de Wellington qui ne fréquentait pas les quais, et moins encore les rades à matafs.

Le marin qui se baladait ce jour-là dans les rues de la capitale néo-zélandaise avec ses compagnons de bordée était vierge. Il n'avait jamais connu de femmes, jamais ressenti ce qu'était pénétrer un sexe de femme. Il ne connaissait pas cette indéfinissable sensation, cette chaleur, cet enveloppement, cet indéchiffrable sens de la vie. Cette sourde connaissance ne lui avait pas encore été révélée, il l'avait approchée seulement. Ce jeune homme de dix-sept ans avec sa petite gueule d'ange trompait son monde. Personne ne doutait qu'il fût déjà pris en main, en bouche, en sexe, par de nombreuses femmes habiles et maternelles.

Un marin dans un port a deux objectifs à décliner suivant les hommes ; trouver une femme et le quartier des bars. Pour ce dernier objectif, le nez au vent, à l'instinct, il trouve très vite. Pour la femme, si elle est dans le bar, il a gagné mais c'est une pute. C'est l'objectif de la majorité. Pour les rêveurs, les romantiques, les amoureux, la tâche est plus délicate. Une errance chaloupée s'impose, au petit bonheur, avec souvent chou blanc pour toute l'escale. Une histoire comme au ciné avec Nicole Kidman qui vous sourit parce qu'elle a envie de se taper un petit marin français, c'est assez rare, mais cela peut arriver, surtout à Nicole Kidman. Il y a un troisième objectif pour certains, celui de ne pas en avoir et de se réfugier à bord, loin des terriens. Avant Wellington, notre matelot avait bien tenté quelques aventures, mais elles étaient restées dans l'œuf, sans éclore. Il y eut des attouchements, des caresses précipitées, des éjaculations précoces, mais pas de coït franc et libérateur qui restait tout de même l'objectif premier, voire obsessionnel.

Il avait suivi ses compagnons dans des bordels de grande réputation, des cloaques achalandés, mais il avait du mal à bander devant une professionnelle du sexe. A Papeete il était tombé amoureux d'une jeune et divine Tahitienne pour laquelle il aurait bien perdu son pucelage. Elle était si jeune, si douce, si fragile. Elle était vierge, elle aussi. Elle s'appelait Colette Mahina. Il préférait Rarahu parce qu'il avait lu *Le Mariage* de Loti. Il se disait que son histoire était aussi belle. Le dernier jour, ils se donnèrent rendez-vous à la sortie de l'école. Elle était décidée à lui offrir son très jeune corps. Lui, entre-temps, avait rencontré un légionnaire qui l'avait piégé à la bière. Jamais il ne put retrouver l'école. Il s'écroula, ivre, dans les fleurs d'un parterre et c'est ainsi qu'elle le retrouva. Elle le veilla et quand il ouvrit les yeux elle vint l'embrasser doucement. Elle était couverte de fleurs de tiaré, comme une jeune déesse. Elle lui posa un collier de pétales sur la poitrine. Je t'ai cherché pour que tu m'aimes. Il avait honte. Il la serra dans ses bras. Le parfum était envoûtant et lui donnait envie de vomir. Viens, je connais un endroit où tu pourras me prendre et faire l'amour à Rarahu.
Elle l'aida à se lever et ils s'éloignèrent en titubant. Dans le petit faré sur la plage, elle se déshabilla et ne garda que les fleurs. Elle était trop belle. Il se souviendra toujours de ça. Et toujours aussi qu'épuisé, proche du coma éthylique, il se rendormit jusqu'à l'aube, heure du rendez-vous militaire. En le quittant, elle lui donna une petite photo d'elle en communiante et il pleura comme

un môme qu'il était. Elle dit que Dieu ne voulait pas que Colette Mahina ait un enfant si jeune. Les Toupapahous ne seraient pas contents. A bord il ne retrouva jamais le petit visage au dos duquel il y avait une adresse et un cœur. Dieu ne voulait pas de cette histoire entre le marin et la Tahitienne. Depuis M. Christian et *Le Bounty*, il y avait eu trop d'amours tristes et Dieu voulait de beaux et joyeux mariages. A l'escale suivante, il envoya une lettre à l'intention de Colette Mahina. Il ne savait pas le nom de l'école où étudiait Colette mais il supposa qu'il devait y avoir une école Pierre Loti. C'était aussi le nom de son école à La Rochelle et il pensait que ce n'était pas un hasard. La lettre revint un jour avec la mention: "Pas de Colette Mahina." Il espéra qu'elle ne veuille pas finir comme la vraie Rarahu, "poitrinaire avec un chat infirme et toujours une couronne de fleurs fraîches sur son visage de petite morte". Il avait pleuré avec le livre de Loti pour la petite Rarahu. Il ne voulait pas qu'elle se prostitue avec tous les jeunes marins de Papeete ni qu'elle se soit mise à boire pour aller mourir sur l'île de Bora Bora, son île. Il n'essaya pas une autre école. Il oublia.

Ce jour-là, à Wellington, la bande des cols bleus s'était dispersée suivant affinités. Pour beaucoup, la promenade du dimanche confinait à l'ennui et il était temps de mettre le cap sur des néons évocateurs. Le marin vierge, espérant mieux en ces antipodes qu'une branlette sous table après quelques verres bus sans soif et sans plaisir, se retrouva dans la cité, un peu désorienté mais heureux de cette solitude. Il avait le sentiment de prendre son destin en main, d'ouvrir la porte au soleil et à l'imprévisible. Il avait faim. Il vit des gâteaux multicolores. Il entra. Un marin français dans un salon de thé néo-zélandais ne passe pas inaperçu des vieilles dames et des vieux messieurs. Il choisit des couleurs, une pâte pistache avec crème et une meringue phosphorescente. Il osa prendre un café très serré et s'installa.

Elle entra, fraîche, vive, la trentaine souriante, avec une chevelure feu et des boucles en flammes. Elle s'est assise avec élégance à la table à côté. Elle semblait gaie, heureuse. Elle avait de belles mains souples et fines qui dessinaient l'espace autour d'elle. Elle mangeait avec délicatesse. Elle passa sa main dans ses cheveux, se renversa comme un épi, et il aima ce geste qui lui rappela quelqu'un. Elle était maigre, pas particulièrement belle, mais il aimait la regarder, ce qu'elle ne manqua pas de remarquer. Elle se tourna un peu vers lui comme un oiseau étonné, curieux. Elle sourit gentiment, poliment, comme une femme qui n'a rien à craindre d'un si jeune personnage, une femme qui n'a pas de projet immédiat et qui semblait n'attendre de la vie que du bonheur. Ce marin la regardait et cela lui suffisait pour être heureuse. Elle se détourna pour finir son goûter. Il avait du mal à avaler la meringue phosphorescente et commanda un deuxième café dans un anglais laborieux. Il tenta d'obtenir un renseignement pour acheter des cadeaux mais la serveuse, une jeune fille qui s'ennuyait ferme, semblait épuisée par l'effort demandé pour comprendre le matelot. Dans chaque port il trouvait un tissu, un objet pour sa mère. En Australie il avait eu son koala, ici il voulait des tissages maoris. Il était bien mignon, mais bon…

Nicole Kidman vint au secours du Français et libéra la serveuse enfin soulagée. A l'époque, bien sûr, ce n'était pas Nicole Kidman. Elle avait un accent français adorable. Il y a un marché artisanal vers le port, près de chez vous en somme, lui dit-elle. Je peux vous y emmener, si vous le souhaitez. Vous connaissez les Maoris?

Non, j'ai lu un petit livre sur les mers australes où il était question des Maoris. Elle sourit et lui apprit qu'elle était institutrice, ou équivalent, et qu'elle donnait aussi des cours de français. Il se dit que ce devait être bien de prendre des cours de français avec cette femme. Vous n'avez pas école? Pas le dimanche, non, chez vous non plus, je pense. Elle se leva en riant et il la suivit. Elle lui raconta l'histoire de son peuple. Elle était de mère maorie et son père, un Irlandais, lui avait laissé la couleur de ses cheveux et le regard clair. Elle lui demanda son âge, étonnée que l'on puisse être embarqué si jeune. Ils se présentèrent: Eileen, Marc. Elle posa maintes questions auxquelles il eut plaisir à répondre. Elle lui avoua faire partie d'une troupe de danse folklorique maorie mais le supplia de ne pas lui demander de danser. Elle était vivante et douce. Il acheta un tissu avec des éclats de verre bleu pour sa mère et regretta de n'avoir pas d'argent pour un médaillon d'ivoire sculpté. Il aurait voulu offrir quelque chose à cette femme pour la remercier, mais il était encore sans solde pour ce premier tour de la terre. Il ne savait que faire sans billet et il crut préférable de prendre congé de cette impossible conquête. Elle devina son embarras, sourit et monta dans un taxi. Avant de fermer la portière, elle tendit sa main pour un au-revoir. Il se pencha, la remercia et elle dit: "Venez."

Il vint, s'assit près d'elle, posa sa main sur la sienne. Elle le regarda, il tremblait de cette audace. Quand elle l'embrassa, il eut des frissons parce que c'était bon et qu'il allait faire l'amour pour la première fois. Il vit dans le rétroviseur le regard du chauffeur de taxi qui les observait. Il devait penser qu'elle était une femme à matelots et le matelot aurait bien voulu lui dire que non, que c'était le hasard d'une rencontre et que, juré, elle n'était pas une pute. Chez elle, une petite maison avec un jardinet, ils s'unirent, maladroitement pour lui, mais elle sut lui apprendre les gestes. Quand il jouit un peu vite, elle lui dit que c'était une preuve de désir et que c'était beau, un homme qui avait ce désir-là, ce désir d'elle, et qu'elle était heureuse, et que maintenant ils allaient prendre le temps. Il rentra à bord et garda son secret. Le lendemain, il était de service mais lui téléphona. Le jour suivant, il revint et attendit la fin des cours. Il ne visita pas Wellington et la région des lacs, il resta au lit avec la dame et ne le regretta jamais. A minuit, elle l'accompagna jusqu'au quai. Ils s'embrassèrent une dernière fois et il monta la coupée. Quand il se retourna, elle s'éloignait déjà dans la nuit. Il lui fit un signe qu'elle ne vit pas et qui signifiait : au revoir, madame Wellington.

Elle avait mis beaucoup d'elle-même devant ma jeunesse démunie et j'avais regagné le bord avec un peu d'espoir. Il y eut d'autres escales, d'autres quais, d'autres amours. Il y eut des jouissances précipitées, des corps sans caresses, des regards morts, mais parfois aussi des petits bonheurs, avec les rires, l'insouciance, l'abandon et une éternité de l'instant. J'ai oublié les beuveries, les coups rapides, debout contre les containers, la frénésie des éjaculations pour se libérer des obsessions, des cauchemars, des fantasmes, pour s'épuiser, se vider et oublier plus vite. J'ai seulement gardé les visages de celles qui étaient venues à moi comme des cadeaux, des messages de vie. Il y eut des trésors et des fausses perles, des mirages d'amour et des corps glacés.

J'étais revenu vers mon port d'attache avec cet album en mémoire, les regards d'Eileen et de Rarahu, des écolières de Perth, la veuve noire de Veracruz, Amélie toujours, Marie-Annick de Brest qui voulait un enfant que je ne voulais pas et qui s'est résignée à le faire avec un autre. Le courageux papa, un pilote de Lann-Bihoué, s'est envolé bien avant la naissance, pour les Forces françaises du Pacifique, préférant avoir sous son aile les atolls des mers du Sud que de pousser sur les falaises du Conquet, le dimanche, un landau sous la pluie. Elle pleurait sur son ventre dans le bar de la rue de Siam et je ne lui ai pas tenu la main. Elle voulait continuer à faire l'amour avec moi pour que je sois vraiment le père, mais je lui disais que ça ne marchait pas comme ça, qu'il n'était pas question de père mais d'amour, ce qui provoquait des sanglots à n'en plus finir. Marie-Annick pleurait beaucoup, elle était très amoureuse de la souffrance.

Je garde entre deux pages les yeux magnifiques de Rita la Biche, travesti de Hong-Kong qui avait débarqué de Limoges à vingt ans pour faire du porno et qui travaillait ses rôles en tapinant dans les grands hôtels. Il adorait la Marine française. C'est ce qu'il m'avait dit en m'abordant. En mer de Chine j'étais encore vierge, il l'avait bien compris, et il était devenu fou à l'idée de me dépuceler. Il y aura aussi les visages de Gana la petite Malgache boiteuse qui baisait pour manger et qui finirait avec les chiens, Jamila la petite Tunisienne de Sfax qui s'habillait en homme pour venir me voir. Je l'avais rencontrée au marché dans un échange de rires. Elle s'était fait battre par une vieille en sac qui hurlait des insultes. La princesse meurtrie m'avait tout de même souri et ce sourire dans la foule m'avait séduit. Je les avais suivies de loin dans le souk et, pendant que la vieille marchandait, elle était revenue sur ses pas pour me dire que son frère serait à sept heures au Café français. Je n'en sus pas plus, la vieille revenait à l'assaut. J'étais dans un roman de Garneray.

A sept heures, intrigué et légèrement inquiet, je buvais un thé à la menthe au bistrot désigné. Un jeune garçon, de loin, dans l'ombre, me fit des signes. Je n'avais pas l'intention de bouger, prévenu des pièges que l'on pouvait tendre à l'étranger naïf. Il s'approcha prudemment, le visage en partie caché par un chèche et, non loin de la table, il me laissa deviner son regard. C'était ma princesse. Elle fut le seul homme que j'aie abondamment caressé et qui m'a passionnément embrassé. Il lui était interdit de faire l'amour, le futur marié la voulait vierge. Nous le fîmes autrement. Je ne saurais effacer, malgré l'oubli, ce que j'aurais voulu ne jamais vivre, mais c'était aussi mon histoire et elle était dans l'album. C'est lui que j'ouvrirais plus tard et qui allait être pour beaucoup dans ma voracité à vouloir capter l'apparente réalité du monde.

A La Rochelle, je continuais à fréquenter les quais et les inévitables bistrots qui font en grande partie la vie des ports et des paumés. Je devinais qu'un jour il faudrait repartir, pour ne pas finir devant un blanc sec, l'œil mouillé sur les deux tours avec des flashs-back en continu pour laminer l'avenir. L'ouest était toujours au même endroit, rien ne bougeait et moi non plus. En attendant que le cinéaste se révèle, je fréquentais tout de même avec assiduité, au théâtre municipal, la cinémathèque de la rue Chef de Ville qui programmait avec constance et courage les films de Hawks, Welles, Becker, Vigo, et mon préféré, Kurosawa, avec un *Barberousse* que je revoyais en boucle.

J'étais bien, à l'ouest, près du port, prêt à repartir si l'occasion se présentait, et j'avais adopté un petit coin dans le café des Théâtres, un endroit rouge et noir avec des glaces qui vous reflétaient à l'infini. Il avait quelque chose d'un salon de paquebot avec la houle des visages et la danse du barman. Il jouxtait, comme son nom l'indique, la vieille salle de spectacle un peu poussiéreuse qui faisait les belles heures des tournées théâtrales, des opérettes essoufflées, et accueillait les ballets de fin d'année du conservatoire. Le beau piano à queue se laissait parfois caresser par des virtuoses internationaux et il fut chanté en ce lieu des lieds de Schubert par des voix magnifiques que je regrette tout de même d'avoir négligé à l'époque et qui aujourd'hui se sont tues. J'avais peur de m'ennuyer. Il faut oser jeune homme, l'aventure c'est aussi cela. Je préférais réserver les quelques pièces que je gagnais aux lundis et jeudis de la cinémathèque.

Après les séances, je pouvais retourner à mon poste. Là, je m'accrochais à un verre de whisky et à l'illusion que la vie devrait être comme au cinoche. Les bars sont intimement liés aux péripéties culturelles de la ville, c'est un lieu de rendez-vous, de rencontres, et pour ceux qui savent regarder, un merveilleux terrain d'observation. C'est un autre voyage mais j'étais trop jeune pour avoir cette sagesse. J'avais vécu deux tours de la terre par la mer avec des histoires comme on en filmait en Amérique, des histoires que je n'osais pas raconter tant elles étaient loin du quotidien des autres et il me restait donc les films et l'alcool pour oublier que j'étais revenu au point de départ.

Il y eut des nuits sans sommeil, à suivre, comme un quart permanent, une vigie alcoolisée qui guettait ses proies déjà conquises par d'autres. Elles ne cherchaient pas l'amour mais le plaisir furtif, comme une virgule après les fantasmes. Il y avait des endroits pour cela, les boîtes de nuit ouvertes sur les parcs, où les slows finissaient, l'été, dans les buissons mal taillés. Certains préféraient le romantisme d'un morceau de côte isolé où l'on pouvait traîner sa bagnole avec la biche fléchée. L'endroit s'appelait La Repentie. Personne n'avait pu inventer ce nom. Là, entre les tamaris et les genêts sauvages, les fronts et les culs délicieusement balayés par la lumière du phare qui semblait ne veiller que sur eux, les amoureux d'un soir tentaient le frisson en éteignant l'incendie. Seuls quelques flics voyeurs, gênés par la buée des ébats, venaient parfois interrompre les coïts. Petite frappe sur la carrosserie, remise en ordre rapide avant d'obtempérer, sourires d'innocence, papiers, petits coups d'œil à l'intérieur avec la torche électrique pour voir s'il n'y avait rien de répréhensible, je veux dire un cul nu, une bite en berne ou une petite culotte blanche égarée qui donnerait envie, plus tard, à la maréchaussée de fourbir son arme avec une rare énergie ou d'honorer madame en arrivant à la maison, merci la jeunesse.

On pouvait, selon affinités, redémarrer la R8 un peu las en se demandant encore si ça valait le coup et comment se débarrasser du colis qui commençait à devenir sentimental. On pouvait aussi achever le menu en allumant une clope, regarder la mer en miroir sous la lune et ponctuer le vide des silences par des phrases attendues et définitives. Il y avait peu de chances d'avoir un coup de foudre ou de rencontrer la femme de sa vie, mais c'était la formule qui laissait le moins d'amertume après "la petite mort". Le plus fréquent était un dégoût de soi que devait ressentir l'autre qui faisait semblant de s'en foutre pour rivaliser avec l'apparente indifférence du partenaire. Taux de jouissance et de réussite assez bas puisque rien ne pouvait égaler ce qui se passait avant dans la tête de chacun. Tout cela n'avait rien à voir avec les amours de port qui, elles, avaient l'exotisme de l'ailleurs et celui d'apaiser consciemment le marin qui ne rêvait pendant les quarts de ses nuits solitaires que de l'objet de son unique désir, la femme idéale qui dormait sous ses paupières. Une solitude en mal de corps qui nous donnait à terre la fougue du chasseur que les professionnelles savaient maîtriser avec un art millénaire déjà bien consommé. Il fallait, à n'importe quel prix, s'engloutir dans le féminin. On pouvait pleurer des mots incompréhensibles, elles avaient toujours le mode d'emploi. Le marin laissait alors parler son corps en laissant le cœur au loin. Mais les putes savent aussi lire le cœur des hommes dans toutes les langues.

J'avais, grâce à mes années maritimes et mes brevets de mécanique, trouvé, après tests, un emploi de contrôleur en bout de chaîne à l'usine Simca. Mon expérience très relative sur les diesels et les machines à vapeur pendant de longs mois de navigation, ma qualité d'ajusteur et la signature du ministère, qui avait omis ma réforme après une fausse tentative de suicide, avaient impressionné le chef du personnel. Mon engagement fut immédiat. J'avais, malgré mon jeune âge, la responsabilité de vérifier toutes les poulies pour courroies de ventilateur qui sortaient de la fabrication. Un travail enthousiasmant, tout le monde en conviendra. L'emploi s'annonçait provisoire pour l'ex-matelot avide d'imprévu, qui naviguait maintenant sur le béton d'une immense salle des machines d'un triste paquebot parfaitement immobile.

Le jeune homme était parti pour l'ailleurs, reconnaître le monde, fouler de nouveaux territoires, défricher sa route pour une autre vie, et il battait la semelle sur un béton huileux. Dans la Marine, déjà, il guettait l'imprévu et, une fois la routine annoncée, il avait fait en sorte de ne pas moisir dans le très seyant uniforme de la Royale. Il lui avait fallu, après une feinte dépression dont je doute aujourd'hui qu'elle fut feinte, se frapper la tête contre les cloisons d'acier, avec élan s'il vous plaît, pour que l'on finisse par l'interner en psychiatrie militaire où il avait joué le jeu jusqu'au bout pour être enfin libéré de ses obligations, au grand soulagement des responsables. Kerouac n'était pas innocent dans cette histoire, sa petite voix avait dû me glisser, dans la rumeur des machines pour n'être pas entendue : "Tu as quitté les pantoufles de l'école publique parce que trop étroites et t'enfiles des godasses militaires qui te bousillent les pieds. Prends la route, mon pote, voyage sans eux." *But I'm not beat, Jack*, et je n'écrirai pas ma vie *on the road* sur un rouleau de quarante mètres comme toi.

Je n'ai donc fait qu'un bref séjour chez Simca, où l'image de cette usine et les trois-huit ressemblaient fort à mes quarts machines, les escales en moins, ce qui avait son importance. "Simca, le royaume de l'aventure pour une jeunesse avide de grands espaces" était le slogan que j'avais écrit à la craie sur mon établi. Un contremaître avec la mâchoire en équerre qui adorait mon humour a beaucoup regretté mon départ. J'ai préféré finir mes nuits rochelaises en tirant, au croc, des paniers de poissons à l'encan, entre deux et huit heures du matin, un double quart que je n'avais pas encore fait. Au réveil, vers quatre heures de l'après-midi, je cherchais sous mon lit la bouteille de whisky pour démarrer la journée comme un homme. Je priais pour qu'il arrive quelque chose. Le cinéma n'était pas la vie et je me doutais bien que ce n'était pas en buvant comme Mitchum et en aimant comme Bogart que je vivrais des histoires d'amour. Le café des Théâtres n'était pas l'Africa Queen et encore moins Le Flore. Ce n'était pas là que j'écrirais le roman de ma future existence. Il y avait bien eu Kerouac, Cassidy et quelques autres mais il était hors de question que ma vie soit une imitation.

Le dimanche, je déjeunais chez ma mère.

— Qu'est-ce que tu vas faire, Marc?

— Ne t'inquiète pas.

— Je m'inquiète un peu quand même.

## 7

J'avais gardé de mon père un petit appareil allemand qui piquait comme un Leica. L'objet avait déjà une vingtaine d'années lorsqu'il me l'offrit pour photographier le monde. De toutes les mers autour de la terre j'avais ramené des clichés pris avec ce petit bijou indestructible que je conservais comme un trésor. Ce qui m'a toujours semblé un mystère fut qu'avec la qualité de son objectif, je n'aie jamais eu de photos d'enfance nettes. Toutes furent prises avec cet appareil, qui laisseront toujours mes premières années de vie dans le flou.

Questions vives dont les réponses se révèleront peut-être un jour : pourquoi donc, chers parents, étais-je toujours flou ? Moi en hiver sur une bicyclette nette avec des chaussons, un manteau fermé sur des culottes courtes et une frimousse sur le tout, floue. En barboteuse, assis sur une couverture où l'on peut voir le pied nu parfaitement net d'un corps hors cadre, le petit Marc ignorant qu'il est flou sourit dans son petit gilet tricoté net. On peut aussi voir une Versailles noire, rutilante de netteté, sur l'aile de laquelle s'appuie le jeune Marc, flou. Il en va ainsi pour un magnifique visage d'enfant buté, au bord d'une rivière qui a eu, elle, le privilège d'être nette, pour ma mère tenant son fils par la main devant le délicieux pavillon en préfabriqué que l'arrière-grand-mère avait gagné à la loterie. Sur cette dernière, ma mère aussi est floue, ça rassure, mais le photographe était mon père…

En attendant, je cadrais net. J'allais sur les docks de La Pallice secouer la torpeur alcoolisée de mes nuits sans fin en regardant le jour s'éteindre doucement sur les îles et emprisonner des soirs qui embrasaient les grumes. Je cherchais les reflets dans l'eau noire, guettais le halo de poussière blonde du silo à grains et les cargos qui s'enflammaient au couchant. Il y eut aussi des portraits volés pour lesquels je trouvais difficile et délicat de choisir le centième de seconde idéal. J'imaginais déjà que la caméra devait permettre de caresser les visages, de filmer les silences et ce que le regard trahissait.

En attendant ce jour que je ne soupçonnais pas, je trimballais mon antiquité vers les cabanes de pêcheurs, les vasières à marée basse et les brumes des marais. Les cormorans faisaient sécher leurs ailes. Ils ressemblaient à des princes maladroits ouvrant leurs capes noires au vent comme pour une incantation. Ils tiraient leurs cous en avant pour deviner la brise. Ils se dandinaient, impatients d'un signe pour satisfaire leur prédation. Quand je m'approchais trop près, ils faisaient quelques pas de danse et s'envolaient au ras des flots. J'étais un photographe amateur de grand talent, parfaitement inconnu puisqu'il n'exposait pas et qui le resterait probablement vu qu'il n'avait pas l'intention de montrer ses chefs-d'œuvre. Mais ces images me gardaient d'aller de trop près respirer le soufre des enfers.

A certaines heures, dans le bistrot rouge et or, il n'y avait rien ni personne que moi à attendre la prochaine séance. La petite dame à la caisse, qui était aussi ouvreuse pour les soirées théâtrales, somnolait et le barman sur le pas de la porte regardait les allées et venues sous les porches sombres de la rue Chef de Ville en tentant le dialogue avec des visages reconnus. Un jour, il y eut cette pluie qui me rappela mon rêve de la nuit précédente. C'était une pluie régulière, infinie à vous donner l'envie d'avoir des écailles. C'était un déluge sans violence qui confondait les couleurs, les tours et les églises, qui recouvrait la vie d'un grand voile d'eau. Dans mon rêve, la rue était un aquarium triste avec des crabes debout. Derrière les vitres, des humains ventousaient leurs faces médusées. La cité semblait s'engloutir. Là-haut à la surface, on voyait encore que des buildings avaient la tête hors de l'eau, mais personne ne souhaitait voir les îles de béton dans les nuages.

Ce jour-là, j'avais abandonné ma petite boîte noire inutile en cette grisaille sans lumière et j'étais venu dès l'ouverture écraser le velours du bistrot. Je lisais Proust, ou plus exactement je tentais de lire Proust. Je somnolais sur les phrases du plus grand écrivain de langue française alors que je me noyais avec délice dans *Au cœur des ténèbres* et *Typhon* de l'ami Conrad. Je jubilais en tournant fiévreusement les pages de *La Pierre et le Sabre* de Yoshikawa, mais Swann et Albertine me faisaient bâiller. Marcel me pardonnera, j'avais vingt ans. Plus tard, j'ai commencé par *Les Plaisirs et les Jours* qui m'encouragèrent à aller plus loin, je dis "commencé" car mes nombreuses tentatives m'avaient tout de même laissé vierge. *A la recherche du temps perdu*, tout était dans le titre et cela devait me suffire. Je ne suis jamais parvenu à aller jusqu'au bout.

En revanche, je persistais dans la jouissance littéraire avec Melville, Kent ou Garneray. Je me suis beaucoup querellé pour défendre mon droit à n'avoir pas adoré le Maître. Pourquoi Proust ? me demanda un vieux médecin major qui avait fait l'Indo. Il me prêta Hougron, que je dévorai allègrement sur les passavants et pendant mes quarts au trou. C'était l'Indochine de mon père et j'avais l'impression de découvrir une part secrète de sa vie. Pourquoi Proust? répétait le baroudeur qui n'attendait aucune réponse. Bien évidemment, je n'avais pas eu ce gros livre entre les mains par choix délibéré ou à la suite d'un conseil littéraire, mais dans une circonstance tout à fait particulière, surtout pour un ouvrage comme celui-ci. A bord de mon dernier embarquement, j'étais affecté en dehors de mes activités de mécanicien à un poste d'entretien tout à fait enthousiasmant, celui des chiottes équipage qu'il fallait récurer, nettoyer à grande eau sans ménager sa peine, un endroit délicieux, surtout le matin après le petit-déjeuner et des creux de huit mètres. Rien de plus joyeux, l'estomac à l'envers, que de repousser la merde et le vomi en vous accrochant désespérément à tout ce qui se présente.

C'était un jour comme celui-là que je dégageai fortuitement Marcel Proust de l'emprise de la tuyauterie où il était coincé, avec un jet d'eau salvateur qui le posa sur une vague d'eau douce et le sauva des urines égarées. Quelqu'un, par forte mer, avait abandonné Marcel dans ce lieu. Je ne saurai jamais quel était le marin qui se trouvait ce jour-là démuni de son ouvrage préféré et qui aimait l'auteur au point de le lire par gros temps sur la lunette instable des toilettes équipage. Je ne pouvais m'empêcher d'imaginer l'exploit. Il lui avait fallu coincer le livre sous l'aisselle et déboutonner le pont du pantalon d'une main sans lâcher l'auteur tout en gardant l'autre main pour la sécurité afin de ne pas être cruellement projeté contre les cloisons. Une fois assis, grimaçant sous l'effort de s'y maintenir, le lecteur avait dû récupérer Proust de sa main libre et tenter de l'ouvrir pendant l'instant suspendu où le navire, après avoir remonté la lame, hésite avant de se précipiter dans le gouffre liquide.

Restait l'incroyable défi de tourner les pages, et, talent suprême, de capturer les lignes de son auteur préféré dont l'ouvrage pressé fermement sur ses genoux nus tentait avec le roulis d'échapper à sa double concentration. Je suppose qu'une lame peu charitable le contraignit à lâcher prise et abandonner Proust aux déjections de toutes sortes pour que le marin garde un peu de dignité. Celui qui n'a pas connu cela ne peut pas comprendre.

J'ai admiré ce matelot qui dans sa matrice d'acier se régalait avec *Le Temps retrouvé* ou qui, bercé par la houle du grand amniotique, connaissait le bonheur dans *A l'ombre des jeunes filles en fleurs*. En ce qui me concerne, ouvrir *Du côté de chez Swann* dans l'océan Indien, à Djibouti ou Tamatave, fut un essai que je n'ai transformé que plus tard. J'avais tout de même sauvé le chef-d'œuvre des vespasiennes militaires. Je l'avais rincé et fait sécher entre deux vannes brûlantes de la machine arrière pour qu'il retrouve figure littéraire après décollage des pages qui s'étaient mariées entre elles pour se protéger des immondices et des visions apocalyptiques. Proust a donc vécu près de moi quelque temps, au-dessous du niveau de la mer, dans le fracas assourdissant d'un ventre de navire. Je loue encore aujourd'hui mon opiniâtreté d'avoir voulu m'élever en sa compagnie au-dessus des eaux stagnantes de la machine, une matrice comme il n'en avait jamais soupçonné. Il se rebellait, forcément. Il n'était pas vraiment chez lui, trop loin de Combray, des salons de Guermantes et du grand parc. Dans ma bonbonnière maritime du café des Théâtres, je tentais de réparer l'offense faite à l'auteur, mais sans succès.

Ce jour-là, à l'heure du thé, du whisky pour certains, un type humide était entré. Il y avait dans son regard comme une mort décidée et, au bout de ses bras, de grosses mains rudes, des mains de maçon qui n'appartenaient pas à ce visage. Il était très beau, des yeux clairs, fatigués, avec des rides en étoiles, une bouche sensuelle et un grand front. Sans regard précis, il s'est assis à côté de moi. Quelqu'un qui entre dans un bar où il n'y a personne que vous et qui pose son cul à côté du vôtre, c'est qu'il est vraiment seul. Il avait gardé son imper qui gouttait consciencieusement sur la banquette cramoisie. J'ai retourné le livre de Marcel sur les miettes de cacahuètes et je l'ai observé à travers les miroirs qui nous multipliaient. Il défrichait le vide et après quelques verres il s'est adressé à moi sans me voir d'une voix très grave, presque rauque, un bel instrument dont il avait dû beaucoup se servir.

— Je parle à ma jeunesse, monsieur, vous n'êtes pas obligé d'écouter, faites semblant, j'ai pratiqué cela toute ma vie. J'ai assommé des générations avec des mots, sans prendre la peine d'écouter ceux qui tentaient de me comprendre. Drôles d'endroits que les universités. A l'exemple de Casanova, j'avais toujours estimé que le philosophe avait "pour mission divine l'obligation morale de s'amuser aux dépens des imbéciles, soulager les avares, cocufier les maris prétentieux, escroquer les cupides". J'étais, comme lui, un charlatan de l'amour, un oisif spirituel dont l'intelligence retient tout ce qu'il voit, lit ou entend. Je résous les problèmes avec une belle agilité d'esprit, je suis un homme d'échecs, du jeu et de la vie. L'intelligence ne suffit pas, voyez-vous, et je regrette beaucoup ce handicap, parfois. L'intelligence est une boisson euphorisante dont on abuse et qui laisse à la vie une grande amertume. Les pensées se chevauchent comme des hordes sauvages et le mental s'en amuse en laissant derrière lui un cœur à sec. Comment retrouver l'innocence, être nu, désarmé comme l'enfance, comment être perméable ?

Sa grosse paluche fouilla dans une poche, il alluma une cigarette, tira machinalement une bouffée et la regarda. Fumer, c'est d'abord pour faire l'homme, après c'est pour le geste, pour mieux penser, l'indispensable bouffée qu'on aspire avant d'agir, comme pour mieux distinguer la solution à travers l'opacité bleue, et par la suite fumer devient une paire de menottes dont on n'a pas les clés, conneries. *Nicotiana tabacum*, alcaloïde mortel, illusion du plaisir, dit-il avec un sourire las. L'homme me rappelait que dans la Marine, avec mon paquetage, j'avais droit à cinq paquets de Troupes sans filtres, des Gauloises roulées dans un tabac qui avait dû être haché à la machette et sur lesquelles on tirait comme des malades pour enfumer le chagrin. J'avais quinze ans. L'État nous tuait donc sous braise, dès l'enfance, avec de la *nicotiana tabacum*.

Mon compagnon monologuait à voix basse, comme les phrases inachevées d'un violoncelle. Il était question d'une femme qui le hantait, une femme qu'il avait laissée passer avec une ironie désespérée.

— Quelle femme ? ai-je dit sans le vouloir.

— Cette femme qui ne m'émeut plus, ce visage autrefois aimé, caressé, dévoré, sur lequel j'appuyais mon front jusqu'à la douleur, cette femme que j'aimais voir marcher, magnifique, et qui garde aujourd'hui encore une suprême élégance sans l'arrogance de la jeunesse, ni cette certitude dans le regard qui était celle de la séduction et d'une irrésistible sensualité. Je me souviens des lettres écrites dans la ferveur et la distance, des heures jalouses. Je ne me souviens pas de l'oubli annoncé. Je pourrais pleurer pour cet oubli-là, les couleurs évanouies, l'amour anéanti, les promesses de cendre. Je pleure cet autre visage, celui d'avant, ce corps qui ondulait dans de longues robes que de longues jambes, fermes et douces, entrouvraient comme des ailes. Elle attaquait le macadam d'un talon mordant et conquérant. Je pleure cette lassitude de l'amour et ce gâchis. J'ai aimé l'autre part d'elle, l'inaccessible. Il fallait explorer l'autre, s'oublier soi, perdre connaissance. Il ne faut pas comprendre, disait Ysé dans le *Partage de midi*, il faut perdre connaissance. Elle adorait Claudel, je l'ai appelée Ysé. Il faut du temps, une vie peut-être, pour perdre connaissance.

Il disait qu'il était un tueur et que cela devait s'arrêter... Il buvait sans plaisir, les yeux fermés, avec une lenteur insupportable. Je voyais dans les miroirs sombres ses visages s'éteindre avec le jour. Nous étions seuls maintenant et je ne trouvais pas la force de me lever. Quand j'esquissai un geste, il me retint la main. La sienne était froide et lourde comme une pierre. Il murmura d'attendre encore un peu. J'attendis.

— On marche au bras d'une femme qu'on aime et puis, soudain, on aperçoit une autre femme au bras d'un homme. On se dit qu'on pourrait tomber amoureux de cette femme-là et on se voit marcher près d'elle, son bras accroché au vôtre. Alors on serre le bras de celle qu'on aime avec un frisson, on doute et on pleure au-dedans. Même si cela ne se voit pas, la femme qu'on aime le sait, elle devine tout et demande : qu'est-ce que tu as ? Rien, je t'aime. Elle sourit, elle est heureuse. L'important est que vous ayez dit "je t'aime" en pressant son bras et en la regardant. Mentir c'est falsifier la vie, mais que fait-elle de nous, cette salope ?

Il me broya la main. "Vivre, c'est s'obstiner à achever un souvenir", disait René Char. Peut-être que je m'obstine, moi, à fabriquer des souvenirs pour que cette vie ne s'achève pas. Elle n'est qu'une succession de souvenirs édifiée avec les erreurs, écrite en pleins et déliés avec des fautes et des ratures. Les hommes s'écrivent. Ils écrivent leur histoire, certains, prolixes, jubilent devant la page blanche, mais s'essoufflent avec les siècles. D'autres, jusqu'à l'épuisement, noircissent les feuilles de haine et de rancœur avec la rage de l'impuissance. Beaucoup écrivent leur vie comme un brouillon sans se relire, jamais, alors que d'autres l'écrivent si soigneusement qu'ils oublient de la vivre. Parfois, un auteur désespéré pose des mots d'amour, une belle phrase qui lui donne l'espoir d'un livre éternel. Mais soudain un orage survient, une valse ivre de pensées, et l'auteur renoue des lignes sans verbes, des mots abrupts, sans couleur. Il *é-crie* sa douleur dans la quête toujours vaine du mieux-être, une quête extérieure dans l'apparent visible qui laisse, en soi, obscurément, la prodigieuse lumière.

J'étais partagé entre la fuite et la volonté d'en savoir plus. J'avais le sentiment obscur d'être tiré vers le bas. Il me fichait le cafard, ce type avec son histoire, sa vie gâchée, merde! Le film était un peu longuet pour un jeune fou avide d'un avenir à peindre avec toutes les couleurs de la terre, des couleurs de feu, gaies, rouge cœur, celles des amours soleil qu'il traquait éperdument, et non ces ombres grises d'une vie déjà achevée.

Sourdement il reprenait, de sa voix rauque, comme un vieux remorqueur de mots, sa litanie de souffrances: elle était belle, longue, brune, élégante avec un grand cou, des yeux presque violets et une écharpe dorée tressée dans ses cheveux, comme une gitane. Ma brune en or, Ysé, je n'ai pas su.

Il retira sa main qu'il posa sur son front, dans la lumière, comme une aile fragile, soudain, qui ombra ses yeux. Il ne me voyait plus. Je me levai sans bruit et sortis. La rue s'ouvrait comme pour m'avaler. J'étais heureux d'être ainsi dévoré par la foule entre les mâchoires des immeubles. J'étais joyeux soudain d'être dans ce monde, vivant. Lui, allait disparaître dans les convulsions de ses souvenirs, au milieu des colonnes d'ombre d'une cathédrale de sel.

Là où je suis, je me souviens très bien de cette peur qui m'avait submergé, la peur soudaine de ressembler un jour à cela, de regarder le vide dans le fond des verres et de ne plus pouvoir me retenir à la vie, d'avoir fait le tour de la terre pour revenir dans un jardin, le plus beau du monde, et ne plus le voir parce qu'on cherche encore à retenir l'impossible. Mais j'aimais trop ce que le voyage m'avait appris et, si je rencontrais cette femme dont parlait l'homme aux mains de pierre, je saurais la reconnaître.

Le soir, comme un joyeux hasard, me proposa de voir Ingrid Bergman et Cary Grant dans *Les Enchaînés*. Dans la double feuille du programme du mois, on avait écrit cette phrase d'Alfred Hitchcock: "Il y a quelque chose de plus important que la logique, c'est l'imagination." Je jubilais déjà.

## 8

Le lendemain, il était là, dans un renfoncement.

— Je vous attendais! Je ne me suis pas présenté, je m'appelle Lazlo. N'ayez crainte, je ne vais pas vous assommer avec un soliloque. Ysé disait que je tissais le vide avec les mots. Elle a fini par me détester. Un jour, vous la rencontrerez dans la rue de l'Escale et il me fait du bien d'imaginer votre regard, celui que j'ai eu un jour en la voyant.

J'ai eu un frisson.

— Comment savez-vous cela?

— Je vous ai observé depuis quelque temps.

— Je ne vous ai jamais vu.

— C'est normal, vous êtes jeune. Mais vous êtes en escale, vous allez repartir. Et puis, vous vous acharnez sur des livres difficiles. A vingt ans, c'est courageux.

Il eut presque un rire, une sorte de sanglot.

— Proust m'emmerde, ai-je soufflé.

— Oui, mais vous essayez, c'est cela qui importe, essayer, aller voir, partir en reconnaissance. Un jour vous aimerez Proust. Si vous la voyez, dites-lui que vous êtes la dernière personne avec qui Lazlo a conversé... enfin, monologué.

— Donnez-moi son adresse.

— Non, il m'importe que vous la reconnaissiez.

Il savait que j'accepterais, j'étais son testament. Je n'étais pas certain de tout comprendre, hormis le fait qu'il veuille se tuer. Je ne m'en étonnais pas plus que cela. J'avais vécu des choses plus inattendues. Quelques jours plus tard, on retrouvait un corps au môle d'escale. J'aurais parié que c'était lui. Je me suis noyé dans les fauteuils rouges pour regarder *La Poursuite impitoyable* et *La Vengeance aux deux visages*. Entre deux séances de cinoche, j'allais prendre l'air.

La rue de l'Escale, couverte des pavés qui lestaient les navires de retour du Canada, donnait sur la rue Chef de Ville où se trouvait le café des Théâtres. Le trottoir, côté ouest, encore lui, était un long porche qui abritait les soies de Chine, les cotonnades des Indes et les dentelles de Hollande de ces dames et protégeait de la pluie les cigares jamaïcains des armateurs négriers. Dans l'ombre se cachaient de lourdes portes derrière lesquelles on devinait des jardins mystérieux embaumés par le chèvrefeuille, des cours habillées de glycine qui remontait le long des murs pour retomber en tonnelle devant les grandes fenêtres des hôtels particuliers. Je savais qu'il y avait là des pièces silencieuses aux parquets luisants, des chambres de négriers, des plafonds peints, des marines rares et des objets du Nouveau Monde. On ne parlait pas, on murmurait.

Un soir, après *La Soif du mal*, je l'ai vue, ou plus exactement je l'ai entendue. J'étais encore avec Welles, mais je l'ai reconnue. Il faisait sombre, je regardais cette silhouette élégante, longue, dont les pas mordaient les pavés et faisaient voler les deux pans de son manteau. Elle semblait encore conquérir la vie. Elle était tressée d'or, je le devinais. Elle s'arrêta pour fouiller dans son sac, alluma une cigarette, et les ombres dansèrent sur son visage. Je passai près d'elle.

— Bonsoir, Ysé.

Elle se retourna, comme prise en faute.

— Nous nous connaissons ?

— Moi, je vous connais.

Je me sentais prétentieux, arrogant, médiocre dans ce rôle. J'aurais dû penser à Welles. Elle avait un regard distant qui vous dissuadait de franchir le territoire.

— C'est Lazlo qui vous envoie?

— Comment le savez-vous?

— Il est le seul à m'appeler Ysé.

Je me sentais assez stupide mais la dame était charitable. Elle sourit.

— Quelle commission devez-vous faire?

— Aucune, il vous a merveilleusement peinte et m'a simplement demandé, si un jour je vous reconnaissais, de vous dire que j'étais la dernière personne avec qui il avait monologué.

Elle rit, pour *monologué* sans doute, mais se figea soudain, très pâle.

— Je le déteste. (Cette femme l'aimait terriblement.) Quand était-ce?

— Il y a quelques jours.

Elle regardait à travers moi, loin, très loin. Des larmes coulèrent sans que son visage ne bouge, des larmes ininterrompues, une vague de fond sans fin. J'étais désemparé. Elle revint au présent.

— Il vous a dit cela?

— Oui.

— Et vous avez accepté de le faire?

— Je voulais vous voir.

— Il parle si bien de moi?

— Oui. Je suis désolé.

Elle ouvrit la porte, entra et laissa le battant ouvert. Je tentais de deviner la cour sombre, un escalier de pierre et sa silhouette qui s'était alourdie.

— Venez et fermez la porte.

Je suppose que cela devait se terminer ainsi. J'hésitai un instant puis franchis bravement le seuil. Elle n'alluma que de discrètes lampes d'un très joli salon cramoisi et cuivre, et une bougie parfumée à l'orange.

– Asseyez-vous. Vous voulez boire? Moi, je vais boire.

Tout était feutré, avec de très belles choses, des objets délicats endormis depuis longtemps sur la marqueterie, des peintures de mer tourmentées, une horloge complexe avec les rouages apparents qui nous comptait le temps avec une sorte de gong très doux dont la dernière note semblait ne jamais finir. Sur un secrétaire était posé un canif en nacre avec une courte lame et une pointe à épisser. Le manche était sculpté. La face apparente représentait un visage de femme. Ses cheveux se prolongeaient comme des vagues.

Il y avait une torpeur étrange, un voyage immobile dans le passé. Tout était souvenir, comme certains rêves qui vous emmènent en territoire inconnu et pourtant familier. C'était un silence de violoncelle et c'est Ysé qui jouait. C'était un chant profond, une douleur sourde. Au milieu de la nuit, nous étions ivres. Elle se débarrassa lentement du manteau qu'elle n'avait pas quitté, jeta ses chaussures et sembla me découvrir. Je ne sais pas ce que je faisais là dans ce passé, cet écrin fermé avec cette femme qui pouvait être ma mère.

– Lazlo était très joueur, dit-elle. Elle se servit un verre avec difficulté et me tendit la bouteille. Finissez-la.

Je bus au goulot, comme un ivrogne que j'étais devenu. Elle me regarda, ironique, tangua légèrement vers une autre pièce et revint avec une vodka congelée.

– Nous allons en avoir besoin. Moi, pour laisser Lazlo dans le brouillard, et vous, pour coucher avec votre mère.

J'étais affalé sur le canapé et n'ai fait aucun geste. Elle vint près de moi, me prit la main :

— Venez! Je la suivis dans sa chambre. J'ai horreur de faire l'amour dans l'inconfort. Il disait qu'il m'appartenait. Il m'avait connue très jeune. Il envoyait des hommes pour vérifier si je correspondais toujours à la femme qu'il n'avait pas su aimer, un jeu pervers auquel je participais pour ne pas le perdre et c'est lui, encore une fois, qui abandonne. Il est malade, je le sais, il va mourir.

Je me suis bien gardé de lui dire que Lazlo était mort.

— Il envoyait des hommes jeunes, comme vous, beaux comme vous, pour que je puisse être séduite. En général, il les choisissait avec un appétit féroce, comme vous?

— Oui, ai-je répondu machinalement.

— Quand il m'arrivait de coucher avec eux, c'est avec lui que je faisais l'amour, il le savait très bien. Ce n'est pas avec vous que je vais coucher, mais avec lui.

Je l'entendais à peine, elle murmurait. Ici, on devait n'écouter que des andantes. Il y avait une étrange harmonie. Ce devait être cela, l'éternité. Rien.

— Il vous appelle sa brune en or.

— Des mots, il n'a aimé que les mots.

— Il vous aimait à mourir.

— Il m'aime toujours.

Je n'ai pas osé lui parler du mort repêché au môle d'escale.

Elle m'embrassa, ses lèvres étaient chaudes, et me déshabilla avec beaucoup de douceur. Elle ouvrit ma chemise et enfouit son visage un instant. Je n'ai que le souvenir de ses larmes sur mon épaule nue et sa bouche qui cherchait la mienne. Après, ce fut un amour d'une lenteur infinie. Je n'avais jamais aimé avec cette précaution, cette fragilité devant une telle désespérance. Tout nous caressait, les tissus, les souffles, la délicatesse du gong, comme le temps donné, aboli. Lazlo et Ysé devaient s'aimer magnifiquement, intensément. J'étais ivre, bien sûr, et j'aurais pu être en elle des jours et des jours sans jouissance. C'était au-delà du plaisir, sans aucune pensée, volonté quelconque, sans anticipation que de laisser faire. Je ne sais pas si cela est possible mais c'était une sorte de vacuité dans laquelle l'acte d'amour avait une place, comme une île dans l'espace.

C'est le souvenir que j'en ai, deux corps en un, errant dans l'éther de cette chambre. Pour elle, il devait en être autrement puisqu'elle était avec lui. Le plaisir fut une onde, une vague venue de très loin, et j'ai joui longtemps, sans secousse, sans violence, dans l'abandon. Elle a gémi une longue plainte, une blessure qui ne cessait de s'ouvrir. Je me souviens de l'avoir bercée jusqu'à l'aube qui n'eut aucune charité. Elle était défigurée par le chagrin et la lassitude. Ce qui me troublait était d'avoir aimé des amours mortes. Je continuais de la caresser en cherchant, dégrisé, le moyen de m'envoler de ce nid poussiéreux, de me dégager des antiquités, de ces lèvres sèches, des ex-voto, des drames de mer, du naufrage dans lequel j'étais.

Cette femme était celle de l'homme aux mains de pierre, une femme-souvenir qu'il avait cru aimer mais qu'il n'avait qu'effleurée du cœur, la laissant pour d'autres. Il ne l'avait aimée qu'absente et elle s'était fanée d'attendre. Je ne saurais jamais pourquoi, en regardant ses cuisses qui étaient encore belles et un sein avachi sur le coussin, j'ai bandé. Peut-être avais-je deviné sous le masque l'Ysé conquérante de sa jeunesse et étais-je venu pour cette Ysé-là. J'ai voulu dissimuler mon égarement mais elle prit mon sexe et me masturba avec une violence désespérée, jusqu'à me faire mal, comme pour m'arracher du ventre cette énergie de vie qui finit par se répandre douloureusement sur elle. J'ai crié et j'ai aimé ce mal.

Elle lécha ses doigts et réprima un haut-le-cœur. Nous restâmes silencieux.

Tu reviendras, me dit-elle soudain comme une petite fille perdue. J'étais son dernier lien avec lui. J'ai répondu un "Bien sûr" impitoyable, deux syllabes comme "Jamais". Elle se retourna dans l'ombre en laissant sur le parquet ciré une main tavelée clouée par la lumière, sur laquelle il y avait encore du sperme. Je me dégoûtais d'être encore là et me suis levé en feignant de n'avoir aucune hâte. J'ai fui avec lenteur. Dans l'entrée, au plafond, il y avait une peinture : des anges qui gardaient l'amour. Dehors, la rue de l'Escale m'attendait avec un camion-poubelle. C'était l'heure des ordures et ça puait le dégueulis. Je regrettais presque la maison de l'armateur avec son odeur de cire d'abeille et ses bougies à l'orange. J'ai allumé une cigarette et j'ai contemplé le petit canif que je venais de trouver dans ma poche. Dans la nacre, il y avait le visage d'Ysé, et de l'autre côté, sur les vagues de cheveux, naviguait une goélette. Je n'ai pas eu honte tout de suite, mais seulement après le deuxième café, la troisième clope et avant que le soleil n'atteigne le sommet des tours. J'en avais fait d'autres, mais je n'aimais pas ce petit vol.

Où ai-je trouvé le courage de revenir, de frapper à la porte, de regarder cette femme fatiguée qui visiblement venait de pleurer et de lui dire que ce canif était tombé dans mon blouson et que je venais lui rendre ? Elle effaça de la paume une larme oubliée. Elle avait sous les yeux des ailes de khôl noir. C'était un masque de vieille femme et, dans ma jeunesse d'alors, le couteau que je tenais fermé dans ma main s'est soudainement ouvert pour me traverser la poitrine. J'ai eu mal et je devais être pitoyable de lâcheté malgré ce repentir. C'est moi qui l'ai mis avec tes cigarettes, m'a-t-elle répondu. Il avait l'air de te plaire. Un graveur a fait mon portrait, c'est pour que tu me tiennes dans ta main, de temps en temps. Je ne savais plus si c'était moi qui avais dérobé cet objet ou elle qui mentait. Le doute subsisterait. Je courus voir le soleil.

Lazlo avait raison, j'étais en transit, il fallait que je mette les voiles, le tout était de savoir pour quel cap. Je ramais en lui tournant le dos, les avirons coincés dans les dames de nage. *Hit the road Jack.* Il allait inévitablement se passer quelque chose, je le devinais sans trop savoir comment, mais mon ange allait me tirer de là. En attendant, j'évitais la rue de l'Escale. J'évitais toutes les rues, d'ailleurs, sauf celle du ciné où je me planquais dans le noir avec délice pour dévorer Rita Hayworth. Gilda me murmurait qu'un jour il serait là, devant moi, cet amour, et que j'allais m'abandonner, me perdre pour lui, qu'un jour je la reconnaîtrais, qu'un jour enfin je saurais. J'écris cela aujourd'hui, mais dans ces années d'écume, de tourbillons sans fin, je ne cherchais rien que l'instant au plus fort des désirs, jusqu'à la noyade s'il le fallait. Ce fut le cas avec Ysé, et Gilda ne m'aiderait en rien qu'à croire à l'impossible.

## 9

J'avais quitté mon emploi très odorant de la halle à marée pour des nuits moins courtes mais je n'aimais pas la nuit, je n'aimais pas ce temps de sommeil hors la vie, et pourtant, la nuit, ça embrasse, ça dorlote, ça vous aime, ça vous attend, et si vous ne venez pas, elle vient vous chercher. Parfois, elle vous fait la gueule si vous la quittez trop tôt et vous retournez dans le blanc en chiffonnant les feuilles de lit. Pour moi, c'est elle qui distribue les cauchemars, qui chasse l'amour pour une solitude en noir, pour faire mal à coups de vide, alors je la chevauchais, éclaté, en me cognant aux néons, pour attendre impatient les promesses du petit jour. Les poches bientôt vides, je me promettais de prendre la route comme Chatwin et ce fou de Jack. J'avais également abandonné Proust, resté sous mon lit, et j'étais plongé dans *Au cœur des ténèbres*.

A l'époque, je n'étais pas vraiment seul, j'avais deux ou trois copains avec lesquels je faisais un bout de route pour toutes les conneries qui se présentaient. Je m'épuisais. Il y avait Momo qui était étudiant en médecine à Poitiers et qui ne revenait que les week-ends, Hugo qui travaillait chez un courtier maritime et Georges, un ami d'enfance retrouvé qui habitait toujours chez sa mère et vendait des fringues sur les marchés. Les uns n'avaient rien à voir avec les autres et je ne les voyais que séparément au gré des libertés de chacun, des envies et de l'ennui.

Je n'ai trouvé aucun chapitre à écrire concernant Momo et Hugo, quant à Georges, il avait déboulé dans le bar, juste après *Reflets dans un œil d'or*. Le film de Huston m'avait laissé un petit nuage dans la tête et sa soudaine intrusion avait brisé le charme d'une torpeur d'après-midi dominical où baignaient encore les regards de Taylor et Brando. Georges avait tout intérêt à être discret et compréhensif. S'il avait encore une histoire à me raconter, je lui souhaitais qu'elle fût à la hauteur de celle que je venais de voir, ce dont je doutais à tort. C'était un garçon jovial, assez rond, toujours content, le genre de type dont la bonne humeur vous assomme, qui vous raconte n'importe quel événement comme la dernière histoire drôle et l'enterrement de sa grand-mère comme le carnaval de Rio. Le bonimenteur avait sa place sous la toile de son stand et sa "grande gueule" n'avait jamais d'arrogance. Il m'agaçait mais son cœur était énorme.

– Tu te souviens d'Amélie Garance, la grande fille qu'on reluquait ?

Le point d'interrogation resta en suspens le temps d'une apnée. Pourquoi suis-je passé d'un cœur qui battait tranquillement à 58 pour un petit emballement au-dessus de la norme avec début d'arythmie à la limite de l'affolement ? Le petit nuage venait de disparaître et un grand soleil prenait sa place. Bien sûr que je me souvenais de la seule fille pour laquelle j'avais pleuré quand j'étais petit et un peu plus tard, quand elle était partie pour Paris continuer ses études. Amélie qui n'était pas revenue, mais que j'avais gardée comme la première page de ma vie. On se cachait le soir pour monter dans le cerisier et regarder par la fenêtre de sa chambre. On n'a jamais rien vu, ça nous rendait fous. Merci, Georges. *Bye bye* John, Elisabeth *and* Marlon, bonjour Amélie. Georges avait commandé deux bières, il les buvait par deux, la première pour la soif, la deuxième pour l'amertume. Il fixait l'invisible dans le miroir avec une béatitude enfantine.

— Parfois, dit-il dans un rot, on lui demandait de nous caresser le visage avec ses cheveux bouclés, pour que ça nous chatouille.

Moi, ça ne me chatouillait pas, c'était tout simplement du bonheur. Je n'avais pas envie de partager ça avec Georges. Il but d'un seul trait, reposa le verre, dégagea une grosse bulle d'air dans un renvoi muet et garda un silence rêveur. J'attendis. Il lui restait une moustache de mousse qu'il n'essuya pas par plaisir.

— Je l'ai vue avec sa mère.

— Ah bon? Et alors?

Bang bang, bang bang, frappait l'amour.

— Alors rien, elle est encore plus belle que dans un souvenir. Même si elle est plus vieille que nous, je la baiserais bien. Mais ce n'est pas pour nous, mon pote.

J'avais du mal à calmer ma respiration et la machine était passée en surchauffe. Georges avalait avec une sensualité pornographique sa deuxième bière et je lui aurais bien fait bouffer son verre avec une partie des chairs éclatées sous l'impact. Il y aurait eu de la mousse rose sur les miroirs. Je n'ai même pas esquissé le geste. C'est moi qui n'allais pas bien.

Je me souviens d'une scène d'ivresse dont j'avais été le témoin sur les quais de Montréal, à la sortie d'une drôle de boîte qui s'appelait Le Paradis des mots. On y dansait au milieu des containers avec des chansonniers à trois balles et un concours d'improvisation poétique. Le Paradis des mots avait dû changer de vocabulaire depuis les premières joutes des initiateurs. Ils avaient investi cet entrepôt désaffecté sur lequel on pouvait encore lire "François Villon, bois du nord". Ce choix n'était pas un hasard. Je filmais les nuits chaudes de Montréal dans un hiver qui pinçait fort. J'aimais les bouches de feu, les halos de vapeur jaune et bleue autour des visages. Je m'amusais avec les fumées échappées des cuisines, les jets de vapeur sortant de terre entre des lèvres de neige sale qui fondait sur des grilles sombres. Dans les flaques de mazout on pouvait lire le port à l'envers. Deux compères vomissaient sur le givre en regardant partir des culs qu'ils n'auraient jamais. Soudain, l'un d'eux se redressa et s'appuya contre un carter de grue. Une lumière anémique déformait son visage :

— Regarde cette fille, elle a une chance dingue d'être aussi belle, je pourrais pleurer devant tant de beauté. J'aimerais cueillir son âme au creux de ma main et la boire comme une eau claire, infiniment pure.

Visiblement ils sortaient de chez Villon.

— Peut-être qu'elle en a pas, avait répondu son copain, une face de cul à nez rouge.

— Pas de quoi ?

— D'âme… c'est peut-être qu'un trou.

Il rigolait en se cognant la nuque contre la tôle.

L'autre avait hurlé au blasphème en tirant le mécréant par les cheveux jusque dans une merde noire.

— Pauvre fiotte, agenouille-toi et prie de voir ça, remercie le Seigneur auquel tu ne crois pas. Remercie-le mille fois, jusqu'à pleurer de n'avoir pas la foi. Regarde, cette fille est belle comme la glace sous la lune.

Hadengue devait avoir écrit une chose comme ça. Le poète termina son prêche par un coup de genou et l'autre ajouta une flaque de plus aux immondices du paradis Villon.

*Où sont les gracieux galants*
*Que je suivais au temps jadis*

116

*Si bien chantant, si bien parlant,*
*Si plaisants en faits et en dits?*

Georges commandait une troisième bière, une brune sucrée avec des cacahuètes et des olives.

— T'as pas des noires, j'adore les noires. Toi aussi, t'adores les noires, matelot, tu as dû t'en taper quelques-unes chez les négros et dans les îles.

Il riait seul. Je ne souhaitais pas lui demander quelle femme était devenue Amélie. J'avais soudain peur de la revoir, perdre ce que mon regard d'enfant avait retenu d'elle. Georges avait une spécialité, il prenait la petite assiette d'olives, avalait le tout et, une minute plus tard, recrachait les noyaux, ensemble, en un chapelet parfaitement nettoyé. Il me donna du coude :

— Si on allait la voir, au flan, chez sa mère. Bonjour Lili, tu te souviens quand on rêvait de voir tes petits seins et ton minou à trois poils quand tu te lavais la fenêtre ouverte, les chaudes soirées d'été, et qu'on s'agitait le macaroni.

Suivit un rire à deux gifles avec un "Putain, quelle fille" noyé dans la gorgée de bière. De guerre lasse, j'ai ri avec lui.

— Tu viens voir *Key Largo* ou tu vas chez Amélie ?

— Non, c'est l'anniversaire de mon vieux.

Exit Georges que je n'ai revu qu'une fois et dont j'ai appris beaucoup plus tard qu'il s'était marié avec une voisine de stand pour agrandir l'étalage. Une nuit, au retour d'un mariage, ils ont embrassé le cul d'un camion et laissé un chien orphelin. Les choses devaient changer et elles changèrent. Ainsi va la vie que, le lendemain, pour éviter une Ysé usée et une Amélie pleine de vie, je suis venu passer l'après-midi sur ma banquette rouge en attendant la prochaine séance.

Je voulais un deuxième café très très serré. Je levai la main vers le garçon qui se reflétait en dix exemplaires dans les glaces magiques et dix bras me répondirent. Avec un joli déhanché, il s'effaça entre les tables, laissant une multitude d'Amélie studieusement penchées sur les tables. Elle semblait dessiner. Connaissant bien le jeu des miroirs, elle devait être assise dans l'angle qui me cachait la porte. Nouvel emballement du palpitant. Roger était arrivé à côté de moi et attendait la commande sans impatience. Il regardait lui aussi Amélie gravée dans les lames des miroirs.

— Jolie! Qu'est-ce que tu voulais?

— Un autre café, s'il te plaît.

Je la devinais plus que je ne la voyais. Sa chevelure offrait un joli rideau de boucles qui s'entrouvrait parfois sur un visage concentré qu'elle relevait pour regarder quelque chose ou quelqu'un que je ne voyais pas. Roger repassa derrière elle comme dans un éventail. Moi qui avais acquis une apparente désinvolture envers le sexe féminin, je retrouvais ma timidité naturelle et j'hésitais beaucoup quant à la stratégie à suivre. Il m'apparut vite qu'il n'y avait aucune raison pour ne pas rester simple et venir lui dire qui j'étais. Ou bien elle se fichait absolument du gamin de ses treize ans et m'enverrait poliment voir le film pour lequel j'étais venu, ou elle m'avait complètement oublié, ce qui était probable, et la suite était la même, ou elle m'accueillait gentiment à sa table pour que nous bavardions. Je n'imaginais évidemment pas qu'elle puisse être désagréable, ni qu'il y eût une autre solution.

Soudain, Amélie se leva et s'évanouit des miroirs. Je m'arrachai brutalement du velours et me précipitai vers la porte. Il y avait du monde rue Chef de Ville. J'ai heurté quelques épaules, couru dans les rues adjacentes et fait battre mon cœur jusqu'à la douleur, mais elle avait disparu. J'interrogeai le barman qui fut compréhensif devant ma gueule défaite. La jeune femme, quand elle venait à La Rochelle, aimait passer l'après-midi ici pour dessiner ou écrire en buvant son chocolat. Il ne savait pas trop ce qu'elle faisait mais… Merci, Roger. Je suis allé voir le film, peu concentré, et suis retourné sur les quais avaler le grand large avec une promesse de rédemption. Le lendemain, j'étais assis fort tôt au café pour ne prendre aucun risque. Vers seize heures, Roger, complice et mystérieux, me dit qu'elle ne devrait pas tarder. Il s'était arrangé pour que je puisse la voir avec bonheur, presque infiniment réfléchie. C'était un corps de ballet parfait, la grâce d'un ensemble unique. Tous ses gestes étaient harmonieux, celui de repousser ses cheveux, de pencher sa tête, de regarder comme étonnée ce qu'il y avait autour d'elle. J'admirais ce long cou où j'avais posé, enfant, tant de baisers.

Elle sembla me voir et resta un instant pensive. Comment pourrait-elle me reconnaître, j'avais sept ans, huit peut-être, et à neuf ans elle ne jouait plus avec nous, je la regardais seulement par la fenêtre avec Georges, en suppliant le ciel qu'elle ne se déshabille jamais devant lui. Visiblement, toutes les Amélie du miroir m'observaient. Je buvais son regard. Elle était sur un autel et je la vénérais. Elles me souriaient, un sourire multiple et clair au-dessus duquel d'innombrables yeux verts pétillaient. C'était délicieusement violent. Je tentais de me lever mais quelqu'un me cloua les deux pieds sur le parquet. Elle me chercha dans la salle. L'angle de velours cramoisi l'empêchait de me repérer. Dix Amélie se levèrent comme une seule et s'échappèrent encore une fois des miroirs, ne laissant que des dos anonymes. Effrayé qu'elle pût encore disparaître, j'arrachai les clous et me dirigeai vers le lit de mon âme. Deux pas et elle était devant moi.

— Salut, marin.

J'étais crucifié. Je balbutiai comme un puceau :

— Tu m'as reconnu ?

— Bien sûr, dit-elle.

— J'avais huit ans !

— A peine, monsieur, mais j'ai vu une photo de toi. On s'assied ?

Je ne bougeais pas, le type avait redonné un coup de marteau sur les clous. Agacé, j'assommai l'emmerdeur et accompagnai Amélie à ma table.

— Tu n'as pas changé, c'est fou ! Tu as le même visage de petit garçon. Bing, j'aurais voulu être un homme.

— Toi non plus, bredouillai-je. J'ai su que tu avais fait les Beaux-Arts.

— Et moi que tu étais parti naviguer pendant que je tripotais de la glaise. L'année dernière je suis venue pour l'anniversaire de ma mère et bien évidemment la tienne était là avec un trophée, toi, en col bleu et pompon rouge. Elle montrait son trésor à toutes les copines avec une fierté touchante et j'ai moi aussi demandé à voir le héros. Mais je t'aurais tout de même reconnu.

Nous avons pris un café avec des questions-réponses et quelques silences. Je lui ai raconté ce jour où ma grand-mère avait glorifié l'âme au mépris de la chair périssable et combien, en la regardant de la fenêtre, j'avais pleuré. Elle me regarda longuement comme pour mieux lire ce que le petit garçon amoureux était devenu. C'était toujours le même regard avec des yeux verts à mourir.

— Tu allais au cinéma ?

— Oui…

— Alors, allons-y.

*Les Sept Samouraïs* nous attendaient. Le directeur de la cinémathèque vint tout de même nous préciser que le maître, dont la première passion fut la peinture, était un cinéaste du mouvement et un grand contradicteur, etc. et que nous aurions pour bientôt une copie du *Château de l'araignée* et de *La Forteresse cachée*. Il nous souhaita bon film. J'attendais le noir qui tardait pour me détendre un peu. Si, tout à l'heure, pour elle, j'avais encore l'air d'un enfant, maintenant je devais être proche du bébé balbutiant. L'obscurité allait me protéger du ridicule. Et le noir fut.

Heureusement, j'avais déjà vu le film, y compris la version longue. Elle n'a pas attendu que Toshiro Mifune prenne les choses à cœur pour poser délicatement sa main sur la mienne. Depuis le générique j'avais grandi, j'étais devenu un adolescent avec un cœur qui battait la chamade et un trac de première fois. Qui n'a pas aimé les premiers frissons du désir dans une salle obscure, le visage émerveillé, regardant l'écran sans le voir, attentif à l'autre histoire, aux gestes attendus, au secret révélé ? J'étais ainsi. J'ai prié fiévreusement pour qu'elle veuille que je pose ma bouche sur sa poitrine, ma tête dans ses cheveux et mes mains sur ses cuisses comme je le faisais quand j'avais sept ans. Aujourd'hui la différence d'âge était moindre. Bien avant l'arrivée des brigands elle se pencha vers moi et me chuchota :

– Tu as du chagrin ?

– Non, pourquoi ?

– Parce que j'aimais bien te consoler quand tu avais un chagrin. Tu posais ta bouche sur mes seins et ça me faisait chaud.

J'étais bouleversé. Elle se leva. Le type aux clous me foutait la paix et nous avons quitté la salle sous quelques grognements. C'est l'unique fois de ma vie où je suis parti au milieu d'un film de Kurosawa. La nuit s'insinuait en un soir magnifique, tout était magnifique. Les lumières de la ville, les boutiques, le port, les voitures, les gens étaient magnifiques. Je marchais aux côtés d'une femme magnifique qui magnifiait tout ce que je voyais. Moi-même je me sentais magnifique. J'avais une chambre sur le port au septième étage sans ascenseur. J'avais sept ans et nous venions de voir *Les Sept Samouraïs*, c'était magnifique. A chaque palier il y avait une petite lucarne qui donnait sur les quais, comme dans un phare. Une goélette prenait la mer.

– Tu vas repartir?

– Pas maintenant.

Elle sourit et je m'enfouis un instant dans ses cheveux.

Plus tard j'ai posé sur son cou et sa poitrine tous les baisers que j'avais gardés pour elle depuis l'enfance, tous les souffles. C'est ainsi que j'ai revu Amélie qui m'entraîna hors du café des Théâtres et de ses miroirs, et que je suivis à Paris où elle avait son atelier.

# 10

J'avais déniché une mansarde à Montparnasse et un emploi dans un labo photo. J'avais du mal à travailler en chambre noire, mais Amélie m'éblouissait. Paris me fascinait et ma jeunesse se réjouissait de ses turbulences. J'avais gardé le petit appareil allemand qui piquait comme un Leica et j'aimais voler l'instant pour le faire prisonnier. Amélie était mon instant préféré. J'ai rencontré la caméra plus tard, grâce à elle, peu de temps avant que le destin ait décidé de m'enlever celle avec laquelle j'écrivais les plus belles pages de ma vie. J'écumais les expositions photo avec ou sans elle et mon goût des voyages resté en sommeil s'éveillait avec des visages du Mandchourie, les chutes du Zambèze, des cavaliers mongols ou les hauts plateaux d'Anatolie. J'aimais tout. Un jour, elle m'a présenté un ami documentariste. Il m'a appris à porter une caméra sur l'épaule et j'ai fiévreusement aimé recadrer la vie. Je partais pour de minces sujets, des commandes qui avaient le mérite de m'emmener vers l'ailleurs sans m'éloigner trop longtemps de mon âme.

Il y eut des rivages éblouis, des nuits blanches, des neiges éclaboussées, des mots solaires écrits sur les orages. Il y eut le désir réinventé, des soubresauts. Je l'ai vue se renverser pour boire la lumière avant de m'embrasser. Il y eut des vallées claires et des chemins de brume. J'ai dormi en lui tenant la main sous des voiles lactées… Je me souviens des nappes de ciel sur nos tables étoilées. Je me suis barbouillé d'elle, insatiable.

Amélie est partie un dimanche de novembre rejoindre en mer de Chine un archéologue qui, je le suppose, devait être documentariste et pilleur d'épaves. Je crois qu'elle était amoureuse. Je te remercie, mon amour, de ne m'avoir rien dit, je n'aurais pas su comprendre et tu m'as épargné la souffrance de la jalousie et, peut-être, que sait-on de soi, celle de te déchirer, de casser le "lit de mon âme" comme un enfant capricieux. J'aurais été malheureux. Notre amour devait s'achever et je ne voulais pas le savoir. Je n'ai cessé de te regarder à travers une fenêtre, celle d'où je te voyais rire et te cambrer comme une gerbe. Il avait quarante ans et moi je restais dans l'enfance. Un enfant qui allait grandir.

Elle ne revint jamais. Elle avait laissé pour moi un petit livre de Tanizaki que je n'avais lu qu'après son départ : *Deux amours cruelles*. Il y avait un papier marque-page sur lequel elle avait écrit : "Où que je sois, tu seras toujours avec moi, je reviens", et elle avait signé : "Lit de ton âme", puis, comme à son habitude, le A de Amélie qui souriait.

Tu m'avais lâché la main depuis quelque temps, tu t'étais détachée comme une barque tranquille. Le corps d'Amélie doit dormir comme une déesse sur l'étrave d'une jonque en figure de proue, les cheveux comme des algues. J'espérais fortement que grand-mère ait raison, que l'âme d'Amélie se posait sur les fleurs de soleil et qu'elle nageait dans l'éther, libre de la pesanteur, comme elle aimait le faire dans les éclats de lumière de ses plongées. Je l'ai regardée des heures, fouillant la glaise, lissant la matière. J'ai filmé son visage, ses yeux derrière la pierre qu'elle séduisait, ses longues mains comme des anémones, ses doigts en corolle caressant les courbes. J'ai filmé ses silences, ses regards, la cigarette qu'elle m'avait prise, sa bouche, la fumée qui dansait autour d'elle, l'outil qu'elle posait, ses ciseaux de tailleur et la tasse de café qu'elle portait à ses lèvres. Je l'ai prise à son insu quand elle se laissait rouler par les vagues jusqu'à la grève, son corps sombre dans l'écume, pour se relever, heureuse, scintillante de nacre, minuscules particules de coquillages sur sa peau comme les étoiles des femmes de la nuit, ou celles que les enfants se collent sur le visage pendant le carnaval. Elle repartait vers le large jusqu'à se donner à la plus forte houle qui la déposait sur la plage. J'ai aussi filmé son sommeil, ses seins échappés de ma chemise d'homme, ses taches de rousseur sur ses épaules, sa nuque sous les boucles, ses chevilles qu'elle habillait d'une bride de cuir fauve. Avant que tu partes, je t'ai vue comme une lumière couchée sur la pierre dans laquelle mon ombre s'est dissoute.

J'ai tout cela sur des cassettes, dans des boîtes. J'ai des heures d'Amélie, de lents travellings optiques comme de tendres caresses. Je possède tout d'Amélie, ses fesses, son sexe, ses cuisses, le creux de ses reins, son corps vivant dans mon regard et je ne les ai jamais visionnés, ni même souhaité le faire. Le puzzle en images d'Amélie ne peut être monté. Il m'appartient ainsi, et il est seulement le témoignage d'un homme-enfant qui tentait de grandir. Je ne l'aimais pas, je la vénérais. Ce n'est pas ce qu'Amélie attendait d'un homme. Elle me racontait des histoires que seule l'enfance pouvait entendre, des histoires que j'aurais aimé écouter pelotonné contre l'oreiller avec le visage de ma mère qui n'avait jamais su raconter et qui n'imaginait pas que son petit garçon puisse en avoir envie. Elle avait avec moi retrouvé son adolescence, ses premiers émois, ses désirs secrets. J'étais orphelin d'elle et les petites baises qui suivirent me laissèrent encore plus démuni. Je n'aimais pas ce goût de

La Repentie des falaises de l'Atlantique, ces éjaculations désespérées qui ne vidaient rien et emplissaient d'amertume. Tu fus mon soleil et ma blessure sans violence. Je suis larmes de cendre. Dans mon sommeil j'allais vers toi sous un vent de mer morte, la nuit, soudain, soulevait les eaux. Je suivais une étrave tranchant l'écume, une étrave seule, sans navire, qu'un rocher éclatait en échardes meurtrières. Un grand oiseau fléché tournoyait dans la neige. Des larmes éparpillaient les lumières comme des braises d'eau que le jour peu à peu éteignait. Je voulais te dire des mots solaires, te baigner de parfums doux comme des songes.

Tu me manquais et je croyais qu'aucune autre femme ne pourrait m'aider. J'ai vécu cette certitude jusqu'à revoir Jo, qui était venue poser un jour dans son atelier. Tu étais partie pour me laisser grandir et Jo me ramena au présent, avec une vivacité et un appétit de vivre irrésistibles. Jo était la vie et on ne résiste pas à la vie. Je l'apprenais avec elle. Elle était la maîtresse de Michel quand il séjournait en France et libre quand il se cherchait ailleurs. Michel travaillait alors pour un éditeur. Il testait des lieux, des restaurants, des hôtels, des musées. Après l'université il était tombé en arrêt sur Joséphine qui lui avait révélé ce qu'il ignorait encore. C'était avant les plateformes pétrolières, avant un poste de traducteur à Niamey, celui de directeur d'un campement en Côte d'Ivoire, et bien avant d'être guide touareg dans le désert nigérien qu'il connaissait depuis l'enfance. Partagé entre sa passion des départs et celle de Joséphine, il avait commencé à tisser une vie de contradictions impossible à suivre pour une impératrice. Elle n'attendait plus et, ces dernières années, le fil de la chance et du bonheur qu'elle portait au poignet avait fini par se rompre. J'ai partagé souvent la solitude parisienne de Joséphine et j'avais la préférence aux hommes de passage qui faisaient le siège de sa beauté ou qui rêvaient d'exotisme en évitant toutefois les sorties dans le monde, un monde qui restait blanc, du moins en apparence. Avec elle, j'ai découvert Hampâté Bâ et Tierno Bokar. J'ai dévoré *Amkoullel, l'enfant peul*. Les jours gris, et il y en eut, je lisais, au lit, ce qu'elle appelait en riant des "poèmes villages" pendant qu'elle regardait les toits de Paris comme une mer de sable. Elle me racontait son enfance près de Gao, ses parents disparus, les sœurs de la mission Saint-Joseph à qui elle devait beaucoup, l'école, les livres d'histoire. Il y avait aussi les mains baladeuses de Rimbaud, le boulanger français, qui écrivait des vers comme l'autre.

Un soir, pour son anniversaire, je lui avais fait la surprise de venir avec Diego. Il avait apporté sa guitare, sa poésie, ses chants et son accent impossible qui avait l'âpreté des *salares del norte*. Il avait aimé la vivacité d'esprit de la libellule noire, comme il l'appelait, et elle avait aimé les yeux tristes de l'ami chilien. Ils ont partagé ensemble la musique, les mots et les caresses. Diego, Michel et moi avions appris avec elle que "la jalousie est un défaut généré par le désir de possession et un ego en érection. Le cœur, c'est comme le sexe, ça gonfle et ça défaille. La jalousie, c'est la peur de l'exclusion, le symptôme délirant de l'abandon. Un homme jaloux n'est pas amoureux, il est seulement jaloux". Jo était en licence de philo et avait l'honnêteté de nous citer ses références du jour, et abondamment Barthes dont bien évidemment je n'avais lu aucune ligne et qu'elle assaisonnait à sa manière. "Les jeux de l'amour et du hasard." Elle jouait, même amoureuse. Jo était la vie. Comment t'appelles-tu ? Jo Sélavy, comme Rose Sélavy, référence à Duchamp et Desnos. C'est Michel qui l'avait ainsi baptisée, un soir, en apportant une rose de tulle noir : sois notre Rose Sélavy. Jo Sélavy n'avait rien à voir avec cette autre joueuse pour laquelle Michel avait écrit ce poème :

*Anne Sélevit n'aime que le vit*
*Elle boit la vie, elle mange le vit*
*Il y a la vie, il y a le vit*
*La vie sans vit n'est pas la vie*
*A boire le vit, manger le vit*
*Ma vie s'écrit dit Anne vive*
*Avec des vits, des vits, des vits*
*Je meurs sans vit, c'est lui ma vie.*

Anne, qui ne s'appelait pas, bien entendu, Sélevit, était avide de vits, voire obsédée notoire dont la gloire était de collectionner les queues plus que les amants eux-mêmes qu'elle oubliait si vite que l'on pouvait espérer plusieurs tours. Anne était folle de sperme et proposait des pipes comme on propose un verre. Dans les situations les plus inattendues, au milieu d'une conversation et sur le même ton, elle demandait à l'homme qu'elle voulait : "Tu aimerais que je te suce ?" Ou : "Ça te ferait plaisir que je te prenne dans ma bouche ?" Ou : "J'aimerais bien goûter ton sperme." Cela créait chez le mâle, habitué à prendre l'initiative, une stupéfaction qui pouvait, pour un temps, le rendre parfaitement impuissant ou totalement fou. Elle disait cela avec la gourmandise et l'innocence d'une enfant à qui on ne peut rien refuser. On ne lui refusait jamais, sauf quelques exceptions qui regrettèrent plus tard leur courage irréfléchi. Jo prévoyait qu'assez vite Anne vive se lasserait des vits sans vie et finirait mariée, fidèle, avec des marmots qu'elle élèverait avec une sévérité toute catholique. Moi, je la voyais terminer reine des partouzes jusqu'à épuisement de sa jeunesse, de sa beauté et du potentiel de séduction d'un corps qui ne manquerait pas, un jour, de se dérober. Pari tenu et j'allais perdre. A notre grande surprise et beaucoup plus tôt que Jo ne l'avait prévu, elle nous annonça son mariage.

Jo semblait tout savoir, deviner. Quand on avait des soucis, elle posait sa longue main sur notre cou et tout allait mieux.

Michel allait et venait pour des emplois à durée très déterminée. Il s'échappait des bras de Jo et de notre amitié. Il avait peur de sombrer dans une vie attendue, je veux dire empruntée aux acquis, avec un bonheur formaté, des habitudes, une sécurité en intraveineuse. Des conneries d'homme, disait Jo.

Un soir, nous étions dans le petit studio d'enregistrement de Diego, qu'il avait dégoté pour faire du montage-son. Michel, fatigué, revenait du Niger où il avait accompagné un groupe. Nous avions bu et beaucoup déliré sur l'avenir que le monde réservait aux enfants que nous n'avions pas et sur le voyage bien sûr, l'éternel départ. "Ah! Les hommes d'action, les actifs! Comme ils se fatiguent et nous fatiguent pour ne rien faire, et quelle bête de vanité que celle que l'on tire d'une turbulence stérile!" Comme il avait raison, Gustave. De qui parles-tu? D'un ami, un toubab qui visait juste, Flaubert, mon bien-aimé après vous. Nous ne voyions que les rires de Jo Sélavy, pas sa tristesse. Je voudrais bien un petit métis mais franchement j'hésite. De Gustave, j'aurais pu, mais de vous il faudra que j'attende. A moi aussi, parfois, le pavé de Paris me brûle les pieds, mais c'est pour retourner là-bas au bord du fleuve et m'occuper des petits négrillons de Saint-Joseph, pour aider, m'oublier un peu, s'oublier sans trop de miroirs pour se regarder. Michel savait cela et c'était difficile d'entendre ce qui, pour lui, semblait inaccessible. Il n'y a que les débuts qui m'intéressent, je suis comme les enfants, je me lasse et on se lasse de moi. Je ne sais faire que des ébauches. Il ne faut pas essayer de visionner le film qu'on ne fera jamais.

## 11

Un printemps, je lui ai proposé de venir faire un documentaire en Amazonie avec moi, pour son regard, sa poésie, sa folie aussi. Mes petites piges comme assistant et cameraman m'avaient donné de l'appétit pour partir en solo. L'archéologue documentariste qui avait enlevé Amélie pour une dernière plongée m'avait laissé quelques compétences. Je voulais traverser la forêt avec un ami, un homme du voyage, un compagnon pour partager. J'espérais Michel comme Chatwin ou Cendrars, il fut absent, souvent, à la beauté et aux visages, sans émerveillement que la fascination des nocturnes amérindiens, les chants du Nordeste. Je voulais en savoir plus sur lui et il s'est éloigné. La forêt amazonienne était envoûtante et propice aux égarements. On ne peut pas lui échapper. Il faut aller de l'avant ou revenir en arrière comme dans un tunnel, aucune sortie, un ruban rouge dans une prison verte. Seuls les fleuves s'évadent de la forêt. Nous avions parcouru près de trois mille kilomètres depuis notre arrivée à Belém avec de longues périodes de silence et parfois, oh! joie, un enthousiasme démesuré pour des brumes enflammées que les énormes camions soulevaient sur leur passage et que je filmais avidement avant que la poussière ne retombe sur la piste rouge, la Transamazonienne, la Transamargura comme l'appellent les hommes qui vivent sur ses bords, la route des regrets, des remords, du désespoir.

Ce jour n'en était pas un et Michel était d'une gaîté réjouissante pour moi. La lumière du matin jaillissait en étoiles entre les grands arbres et les troncs de marbre. Il y avait des parfums inouïs, humides, chauds. J'étais heureux des visages dans ma caméra, des gueules glanées le long de la route, dans les mines, des enfants des petites villes perdues sur les fleuves. Nous avions traversé le Tocantins, navigué sur le Xingu, vu des orages soufflés sur le Tapajós et les îles de sable, pleuré les Indiens Araras qui allaient disparaître. Nous avions pris la route dans la nuit violette et chaude, pour guetter les premières lueurs de l'aube. Il y a un dieu qui déchire les couleurs, avait murmuré Michel.

Cette naissance du jour m'avait rendu mon ami qui la veille au soir était désespéré d'un regard et d'un geste brutal sur un enfant. De nombreux écoliers en blouse jouaient au cerf-volant. Les losanges de couleur dansaient sur le ciel et mêlaient parfois leurs longues queues avant de s'abattre dans la poussière. Un petit avec un bras atrophié et une patte folle avait fait la faute et les autres l'avaient chassé à coups de pied, de poing et même certains avec des pierres avant que nous intervenions. Le môme. C'est la jungle, Marc, la loi des plus forts, et il était allé consoler l'enfant qui repoussa le geste tendre qu'il eut envers lui. Il revint vers moi, sombre, et j'allais passer une morne soirée si je n'avais décidé d'aller me faire raser par un barbier, un vrai, comme dans les films de Sergio Leone. J'y suis allé désarmé, mousse épaisse, serviette chaude et eau de Cologne. Puis, j'ai erré sur les bords du fleuve, près des cabanes sur pilotis, mais la nuit m'avait empêché de filmer les femmes, les hommes et les enfants accroupis, en équilibre, comme des oiseaux, perchés sur de longs bois horizontaux. Ils étaient silencieux, immobiles, et regardaient l'eau noire sur laquelle parfois glissait une *gaiola*.

Michel, le lendemain, était présent, séduisant comme il savait l'être, charmeur même, au point qu'entre Jacareacanga et Humaitá une femme était tombée amoureuse de lui. Nous étions à deux cents kilomètres de tout village et nous venions de franchir un pont avec les précautions du salaire de la peur quand, sur le côté, nichée dans la boucle d'une petite rivière avec de maigres cultures, une maison en dur avec toit de tôle, mur de briques et fer forgé, s'il vous plaît, nous commanda de piler sans réfléchir. Il y eut un temps où la route sembla s'ébrouer avant d'agoniser sous nos pneus. La poudre d'or retomba lentement et nous pûmes admirer une petite *pousada* qui allait nous accueillir pour un café ou un thé avec madeleines brésiliennes. La production, l'équipe décoration et la régie avaient bien préparé le plan. La porte grinça, s'ouvrit sur une salle plutôt andalouse, le style de la maison l'était, le ventilateur tournait, il y avait des tables solides, brunes, avec de bonnes grosses chaises espagnoles, un comptoir à tapas sans tapas, on attendrait, et surtout des affiches de corridas et des feuilles de calendrier sur lesquelles posaient de splendides créatures.

Tout ceci ne fut détaillé que bien plus tard, une fois la surprise délicieusement digérée. En effet, derrière le comptoir, appuyée sur ses coudes, le visage dans les mains, les cheveux tirés en arrière, une boucle d'or à l'oreille, une peau mate satinée, un œil noir, pas de maquillage, et pour qui, je vous prie, y en aurait-il eu, le tout autour d'un merveilleux sourire, une jolie femme nous figea un instant avec un air idiot, notre air à nous, pas le sien. Cela ne dura pas et Michel me précéda pour présenter ses hommages. Coiffé au poteau, je n'avais aucune chance. J'ai regardé le manège. Elle n'a pas bougé de sa position première et a seulement tapoté des doigts sur sa joue. Michel, par provocation, a pris la même position devant elle, très près d'elle, en conservant une immobilité et un sourire impeccables. Elle a planté ses yeux noirs dans les siens, le cœur ne fut pas atteint. La scène se passait bien, le film serait un succès. La suite fut simple, elle nous servit avec le même sourire, n'ayant d'yeux que pour Michel. La situation présente était claire, mais pas le futur. J'ai demandé à Michel comment il comptait conclure ce coup de foudre et la demande en mariage qui suivrait. Il rit et rien de plus ne se passa si ce n'est qu'elle s'absenta un instant et que le père, la mère, les nombreux frères et sœurs vinrent se faire présenter au fiancé. Le départ s'annonçait difficile et la rupture allait nous faire vivre des moments dramatiques.

Rien de tel ne se passa, nous partîmes avec force signes de connivence et petits baisers de la main, un œil posé sur du velours. La suite fut plus délicate. La petite ville suivante, à cent cinquante kilomètres de là, nous attendait. J'ai oublié son nom. C'était une ville rouge où il n'y avait plus rien que des enfants couverts de poussière rouge et Dieu. Dieu était partout, à l'entrée du bourg, sur les toits rouges, dans les haut-parleurs, rouges aussi, dans la bouche des prêcheurs invisibles et sur les voitures qui dormaient sous un linceul rouge. J'ai entendu un air d'accordéon lancinant et une voix éraillée qui chantait une prière du Nordeste. Le vieux était aveugle, un regard blanc. Nous sommes restés tout le jour pour filmer et répondre aux questions curieuses. "Vous êtes venus pour nous voir mourir? Filmez cette *transamargura*, ce rêve de blanc, de dictateur corrompu, et racontez comment s'éteignent les oubliés."

Le soir, dans un petit restaurant populaire, un restaurant familial, une vieille est venue nous voir. Il y a quelqu'un qui cherche des blancs dans une voiture bleue. Ah? Qui? Une jeune fille. Silence! Où est-elle? A l'arrêt du bus. Elle est arrivée avec lui ce soir. Petit temps suspendu. Michel? Oui? Il me semble que tu dois faire ton devoir. Il se leva en souriant mais néanmoins stupéfait, comme je l'étais. Le régisseur brésilien l'était beaucoup moins. Il riait franchement en répétant "Brasil, Brasil". Terre de braise. Michel avait emporté son regard et son sourire, et c'était ce qu'elle avait de plus précieux. Elle venait le rejoindre pour partir avec lui et connaître la grande ville. Elle avait trois sous et elle tentait l'aventure. Si Michel se montrait lâche, elle reprendrait son sourire et son regard, puis remonterait dans le bus et irait pleurer à Humaitá. Michel fut lâche, il s'expliqua, trouva des excuses, des prétextes, ne lui fit pas l'amour comme elle le demandait et comme il en avait envie, et resta tout de même avec elle jusqu'au départ du bus qui voulait partir avant le soleil.

Ils ne s'étaient rien dit parce qu'ils n'avaient rien à se dire et qu'ils ne parlaient pas la même langue. Il l'avait prise dans ses bras en s'ennuyant un peu et en luttant contre le sommeil. Elle semblait tout de même heureuse à travers les larmes, me dit-il en revenant. Je n'ai pu que rire. Ainsi finit cette histoire, comme dans tous les jolis films qui font pleurer. L'aube surprendra, en silence, les visages des héros défaits par le chagrin et l'impossible, le regard prolongé derrière la vitre du bus qui s'éloigne avec la fille qui sanglote et qui ne disparaîtra avant long-temps puisque la piste est abominablement rectiligne et que seule la poussière rouge fera le rideau. Michel m'avouera qu'il n'était pas certain d'avoir vu son visage baigné de larmes derrière la vitre du bus qui était rouge poussière et que le jour naissant l'aveuglait. Affaire classée, la femme-oiseau avait pris son envol. Nous nous retrouvâmes dans la petite salle du bistrot, j'avais dormi, lui non. Il avait retrouvé sa couleur sombre et son jardin souterrain. Il était déçu visiblement, mais de quoi? Tu aurais préféré qu'elle se jette sous le bus?

Plus tard, un message me fut glissé par un enfant. Griffonné sur une petite feuille de carnet tachée de rouge, il y avait un numéro de téléphone et quelques mots que notre régisseur traduisit par : "Je suis poète et journaliste. Ils veulent me tuer, je n'en peux plus." Décidément, cet endroit était riche d'inattendus. J'avais fait remarquer à Michel qu'il était poète avant d'être journaliste. Laisse tomber, ils sont dangereux ici. Je peux toujours appeler, ça m'intrigue. Le type pleurait au téléphone, il était réfugié chez les flics, loin de chez lui, de Jacareacanga, mais les trafiquants le surveillaient jour et nuit pour essayer de le descendre. Il avait dénoncé le crime, le trafic, donné des noms, dont le maire qui payait les tueurs. Il souhaitait nous voir pour que l'on filme son témoignage et tente de l'aider par l'extérieur. Il demandait ça pour sa femme et son fils qui eux aussi étaient menacés, mais cachés dans la forêt chez des *caboclos*.

— Comment avez-vous su qu'on était là?

— Il n'y a pas de touristes sur cette putain de route, alors deux Français avec une caméra, ça se remarque, surtout pour les flics. Venez au poste, je vous en prie.

Nous y sommes allés et j'ai filmé Santos Da Cunha, un type désespéré, dormant peu, effrayé, encadré en permanence par deux pistolets-mitrailleurs et un fusil d'assaut.

— Nous ferons ce que nous pourrons, Manuel.

Malgré cela j'étais heureux de traverser l'eldorado, la forêt rêve, celle des mirages, la forêt impartageable. Il y a la peur et quelque chose d'étrange qu'on ne parvient jamais à découvrir et qui est là depuis toujours. Mais c'est trop fort. Il y eut un moment de grâce pourtant qui fut partagé au bord d'une rivière apaisante. L'eau était transparente, propice au bain. Il y avait des plantes carnivores qui se fermaient sous la caresse, des galets bleus dans le courant. Nous avons dormi là. Le soir, un aigle avait emporté le soleil sur son dos et nous l'avait déposé, le lendemain, au sommet des grands arbres.

Plus tard, sur la route, un 4×4 clair nous suivait. C'était très rapproché et peu discret. Trois jours de filature et d'inquiétude. Lors d'un arrêt, les types sont descendus. Police secrète militaire. Ah! Et alors? Alors rien, on voulait connaître vos intentions. Rien de répréhensible? Non. Vous êtes armés? Non! Alors, faites attention et évitez de dormir dehors, sans protection. On ne sera pas toujours là. Le régisseur brésilien n'avait rien dit et quand les militaires en civil se sont éloignés, il nous a montré un colt 11,43 et un petit pistolet automatique. Merci, Fernando. L'ange gardien remballa les outils et nous repartîmes un peu plus inquiets.

Je dormais mal depuis quelque temps et tout ça n'arrangeait pas mes affaires. C'était en travaillant sur les *caboclos*, vers Itaituba, sur le Tapajós et les chercheurs d'or de Serra Pelada que j'avais remis le film de mon autre vie en marche, un cauchemar, toujours le même, qui se répétait fidèlement avec, parfois, quelques modifications du scénario. Je fuyais sur la plage d'une île lointaine, puis dans des montagnes chaudes et humides, des forêts primaires avec des lames de roche en rasoir. Je connaissais bien cette végétation, elle m'était familière. Je courais, terrorisé par les aboiements des chiens qui me poursuivaient et les cris des hommes. Les chiens surtout m'effrayaient. Ils étaient dressés pour tuer, dévorer, s'acharner sur leur proie. Avec eux les esclaves avaient peu de chance. J'étais esclave, enfin je le suppose, et je m'enfuyais vers une improbable liberté. Mon calvaire s'arrêtait toujours à l'instant précis où, me retournant et trébuchant, le molosse se jetait sur moi. Je me réveillais épuisé par la course et traumatisé par la violence du rêve. Je déteste les jappements canins, du plus loin qu'il m'en souvienne. Le jappement continu, stérile, la note unique, fausse, qui n'est jamais une note, et qui me rendait fou.

Ce cauchemar était né du documentaire sur l'esclavage proposé par Michel. Ma tendresse pour l'Afrique, mon amitié pour Jo, et Michel qui restait maladivement amoureux de la terre noire, m'avaient amené à consulter les archives et à retourner sur les lieux de la grande plaie. Depuis, je ne saisissais pas l'acharnement des nuits à m'infliger cette torture. J'étais à ce point dépendant que je souhaitais retrouver ce moment pour tenter de reconnaître un signe qui me révèlerait enfin cette part de l'invisible. Je ne croyais pas aux vies antérieures, mais la précision des scènes dans le moindre détail me laissait perplexe. Esclave blanc. Je m'endormais avec l'inquiétude du grand plongeon, mais aussi le secret désir de faire le voyage, aussi pénible fût-il.

Moi qui aimais partir en cherchant la peur comme un baume, comme une excitation délicieuse, un peu mordante, je paniquais devant l'inconnu qui m'habitait. Je résistais à explorer mon propre territoire, m'apprendre, sans réticence, sans cette frayeur sourde d'aborder d'autres rivages. J'avais perdu cette lumière qui me guidait dans mon enfance, cette lumière avec la joie de l'inconscience. Je m'enivrais d'horizons sans jamais me poser, je cherchais une paix que je ne savais reconnaître. Je résistais et je subissais. La sagesse était assise sur l'inaccessible. En réclamant la paix je réveillais des douleurs enfouies depuis des siècles, mais je voulais déchiffrer l'épreuve, accepter l'initiation. C'était peut-être cela abandonner, revivre jusqu'au bout cette autre vie et pouvoir enfin la laisser en son temps, l'enfouir et libérer la mémoire. Je pressentais qu'il fallait ne plus penser, perdre le contrôle, tuer les pensées tueuses, se laisser aller, enfin, retrouver l'énergie première et repousser jusqu'au magma initial les nœuds qui me torturaient.

C'était moi qui étouffais dans le noir, dans la prison, moi dans les chaînes qui fuyais l'esclavage avec la peur d'être découvert. C'était moi, en liberté dans la forêt retrouvée, aimée, respirant large au sommet des pics, volant comme l'aigle au-dessus des brumes. C'était moi qui redoutais la noyade vécue dans l'enfance et n'aimais l'eau que sur les bateaux, parce que j'avais la tête hors des abysses. Aucun voyage, aucune fuite ne me révèlerait à moi-même. La solution était en moi et je ne savais pas comment y entrer. J'ai toujours voulu comprendre, toujours, et l'atroce vérité pour un acharné de l'explication est qu'il n'y a rien à comprendre. Quand on a compris cela et surtout accepté, quel soulagement.

Pendant des mois j'ai attendu en redoutant ma vie dans l'invisible, puis un sommeil lourd et sans rêves avait fini par me clouer pour la nuit. Le calme semblait s'être réinstallé, jusqu'à ces jours chez les chercheurs d'or de Serra Pelada et les *caboclos* de la Transam. Je filmais des visages d'hommes au travail, torse nu couvert de sueur et de poussière ocre, des forçats de la terre, des hommes d'argile dans la grande prison amazonienne, qui travaillaient avant l'aube jusqu'à la nuit sans relâche sur un placer de quatre mètres sur quatre pour quatre dollars, un paquet de cruzeiros, brassant la glaise et le mercure et dormant dans une cabane en équilibre sur la falaise. Les *caboclos* grattaient la terre eux aussi, la terre usée jusqu'à la latérite pour trois épis de maïs. Le soir, j'écoutais la bande-son avec attention : "Nous étions tous volontaires pour venir ici, on nous a même payé le voyage mais nous travaillons plus que n'importe quel esclave. Rien n'a changé depuis nos pères seringueros. Le patron prenait en charge le long voyage jusqu'au plus profond du Mato Grosso. Ils arrivaient par les fleuves et, sur place, le contremaître leur vendait le matériel pour travailler. Personne n'avait l'argent alors il fallait rembourser chaque mois sur le salaire qui se réduisait à une gamelle de soupe, et cela pendant des années. C'est ça, monsieur, l'esclavage amazonien."

Le serpent nocturne reprit sa place. Quand je m'endormais, vaincu par abandon, j'entendais des molosses hurler. Cette fois je n'étais pas poursuivi mais allongé sur un grabat dans une masure de planches ajourées. Je me levais, parce que c'était mon boulot, et sortais pour calmer les bêtes. Qui, la nuit, avait modifié le scénario ? Un type à côté de moi venait d'arriver. Il en aurait pour sept ans à rembourser le voyage de France et se croire libre dans l'Amérique nouvelle. Tous les deux, nous avions fui l'Europe pour un improbable bonheur. Dehors, un type montait à cheval en hurlant que des putains de nègres avaient volé de la farine pour mettre les voiles vers les hauts. Il fallait rattraper cette charogne sans âme et la donner à bouffer aux chiens. Hors travailler à couper la canne comme les nègres et les surveiller, je m'occupais de la meute avec le petit nouveau. Depuis des années j'avais supporté les injustices, les cris, les meurtres, l'application du Code noir, les chiens. Je n'aimais pas beaucoup les noirs et les noirs n'aimaient pas les blancs, mais je détestais la chasse aux marrons. Seulement j'étais blanc et j'aidais les blancs. Du bon travail, de mon intelligence et de ma servilité à plaire au planteur dépendait ma liberté proche. Il haletait derrière deux cabots. Je savais comment ces bestioles déchiraient les hommes jusqu'à n'être plus rien qu'une bouillie sanglante que les fauves dévoraient. Comme des chiens de chasse, on les affamait à les rendre fous. La veille, j'avais vomi devant la jubilation du fermier et les rires du contremaître. Je tenais fermement mon fusil avec le désir suicidaire de foutre une balle dans la tête du cavalier qui bavait sa rage, mêlant son écume à celle de sa monture. J'aurais bien aussi logé un gros plomb dans la nuque du dogue avec soulagement. Mais je savais que je pouvais me faire dévorer par le reste de la meute ou exécuter sur place.

J'étais arrivé sur un escarpement rocheux, un nègre essayait de trouver une issue devant la falaise abrupte. Les deux molosses étaient prêts à œuvrer et attendaient l'ordre de la curée. Le contremaître était occupé dans le fond d'un ravin et je ne hurlai pas mon succès. Je regardai le noir terrorisé. Je m'avançai lentement, sans menace. Je n'avais aucune intention. Je savais ce nègre intelligent, même s'il n'avait pas d'âme. Je l'observais et dans les hurlements des chiens que je retenais je crus entendre dans ma langue: "Tu me ressembles." J'approchai pour mieux comprendre et dans l'inattention de l'instant l'esclave saisit le canon du fusil baissé et le retourna contre l'esclave blanc. Je compris en lisant sur les lèvres de l'autre: "Il faut recommencer." Il tira et je sentis la balle dans mon ventre qui brûlait. Avant de m'affaisser, je pus lire encore: "Toi aussi, recommence", et l'esclave sauta dans le vide.

Alors que nous allions vers la frontière bolivienne, le hasard, que j'aime comme la lumière, m'a permis de filmer une cérémonie chamaniste. Il était facile, caché derrière l'œilleton, de caresser les visages dans la fumée, les yeux mi-clos des prêtres tournés vers l'invisible, mais c'était justement l'invisible qu'il aurait fallu filmer et j'en étais d'accord avec Michel qui trouvait inconcevable de ne pas faire le voyage. Il avait avec lui le livre d'Artaud offert par Diego, *Les Tarahumaras*, et je comprenais maintenant pourquoi il m'avait accompagné. Tu vas oublier tout ce que tu sais, lui avait dit Diego. J'avais parlé de mon rêve à Michel et il avait trouvé l'opportunité absolument "divine". Je restais inquiet, ayant pu remarquer, derrière la caméra, des hommes hors du monde. L'Indien pour lequel la cérémonie avait eu lieu m'avait paru traverser l'enfer et le voyage annoncé pour deux blancs en mal-être n'aurait rien d'un massage ayurvédique. Le mystère de cette forêt nous angoissait. Les territoires du surnaturel nous attendaient. Nous n'avions rien connu de tel et nous serions bien loin des fumées d'herbe de nos pitoyables joints.

Deux jours plus tard, après avoir fait part de nos motivations au chaman, et de notre volonté farouche d'écouter les plantes, il nous proposa un jeûne et nous conduisit dans la clairière des esprits. Il y eut un cérémonial dont la symbolique nous échappait et qui nous plongea dans un univers étrange, enveloppés par la fumée d'un tabac fort et âcre que le Maître nous soufflait au visage et sur le corps. Il frappait des feuilles de palme dont la musique, car c'en était une, emplissait la nuit et nous pénétrait. Je supposai qu'elle devait être l'appel aux esprits de la plante et la chasse aux intrus. Il nous donna à boire une infâme potion que nous avalâmes religieusement avec de grands frissons. Il y eut un temps d'attente, une "mariation" pendant laquelle le chaman prit lui aussi des plantes et chanta d'une voix modifiée une fascinante mélopée. Nos sens semblaient se développer peu à peu au-delà de notre conscience. J'étais embarqué, le train était parti et rien ne l'arrêterait. Il y eut des odeurs mélangées, des visions, des convulsions, des régressions. Je me débattais, traversé par des losanges électriques, des prismes éclatés qui se noyaient dans une mer poudrée inaccessible. Il m'est apparu qu'il n'y aurait plus de retour. J'allais accepter de passer de l'autre côté.

La nuit fut d'une grande violence, surtout pour moi que ma conscience aiguë d'une part et la totale prise de possession de la plante d'autre part bousculaient comme un ouragan. Elle seule, sous contrôle du chaman, décidait de ce à quoi j'étais irrémédiablement livré. Michel traversa les cathédrales de lumière et les hordes venimeuses avec une béatitude qu'il conserva plusieurs jours. Les serpents, les chats sauvages et tout le panthéon des ténèbres ne l'avaient pas harcelé, seulement approché, comme il me dirait plus tard. Le travail de la plante se poursuivit jusqu'au matin. Moi non plus, "je n'avais pas vu le Christ, mais la possible lumière". Quand je pus voir au-dessus de moi les langues de brume en écharpe autour des arbres, je retrouvai le calme et l'apaisement. Il y avait un feu, des parfums, le silence et le visage du chaman qui m'observait. Il nous dit que la plante m'avait parlé et qu'elle allait continuer le travail mais qu'elle avait refusé d'entrer en Michel. Il en prit sincèrement ombrage, jusqu'à la souffrance. Je lui dis que les vomissements soudains, les défécations, les tortures que j'avais subies n'étaient pas à souhaiter. Je veux aller au fond de moi, me dit-il. La réalité n'est pas ici, je cherche une raison à tout cela. Je ne veux pas me contenter d'un "misérable miracle", comme disait Michaux.

Le chaman lui proposa alors une deuxième cérémonie avec un mélange que l'on a traduit par "racines pour voir les morts". Joyeuse perspective que Michel attendit avec une grande concentration. La plante, cette fois, serait impitoyable. J'ai eu très peur. J'avais commencé à filmer son visage à travers les flammes du foyer et la fumée de tabac que lui soufflait le vieil homme. Il avala très lentement le liquide épais. Le prêtre prit à son tour le breuvage et secoua les feuilles de palme séchées, comme il l'avait fait la nuit précédente. Ce sont les seules images que j'ai de Michel. Très vite, deux assistants jetèrent de la boue sur le feu et les ombres effacèrent les visages. Les braises gémissaient, une épaisse fumée blanche monta vers les branches, puis il n'y eut plus rien que la nuit et les souffles. J'ai posé la caméra et le vieux commença un chant que je reconnus. Dans ma nuit de chaos j'avais perçu ces cantiques de la plante sans avoir pu identifier leur mélodie. Maintenant j'en appréciais l'étrangeté et en subissais l'envoûtement. Je savais que je n'en resterais pas là.

J'ai aimé ces chants jusqu'aux cris de Michel. Après, j'ai vraiment eu peur qu'il meure. Il semblait devenir fou, il fallut le tenir. Ses membres ne lui appartenaient plus et le secouaient comme un dément. Il suppliait, vomissait, s'accrochait au vide avec des sanglots qui me transperçaient. La nuit fut longue mais au petit matin il s'apaisa. Parfois, dans un demi-sommeil, il murmurait. Artaud avait raison, Marc, mais dis-moi que la vraie vie n'est pas ailleurs, qu'elle est ici en chacun de nous, autour de nous, et que nous sommes la vraie vie en ce tout. Je n'ai pas aimé ce que j'ai vu de moi, je n'ai pas aimé l'agressivité de mes démons. Nous restâmes trois jours chez les chamans, sans parler et mangeant très peu. L'expérience avait été édifiante et je voulais moi aussi une autre cérémonie, d'autres cathédrales. Le vieil homme me signifia la patience, la plante resterait en moi et, le jour venu, je saurais reconnaître le sens. Je devais avoir confiance.

Michel a commencé à écrire, prendre des notes qu'il me donnait à lire. "Le mental est comme un prisme qui divise les couleurs de la même lumière. Il divise l'unité par ses innombrables concepts de la vie et de Dieu. Il n'unifie pas, il divise. Il cultive les différences en opposition et non en complémentarité." Je lui ai dit que je me souvenais d'une phrase comme celle-ci. Il m'a regardé sans me voir et m'a répondu : on s'en fout, ce qu'on écrit est déjà écrit.

Michel resta silencieux une partie du voyage. Dans l'avion, il m'a griffonné un mot sur la serviette en papier du repas qu'il n'avait pas touché : "Rimbaud s'est enfui à Harare parce que rien ne pouvait être compris de ce qui lui échappait. Il n'avait pas d'issue." Je suis revenu à Paris troublé par son comportement. Il avait des colères, des impatiences, et devenait chaque jour plus fragile, désorienté, avec dans le regard des absences qui préparaient le naufrage. C'est Diego le premier qui avait dit : "Michel va se perdre un jour quelque part sans que nous sachions où il aura laissé son corps et on ne saura rien de lui, jamais." C'était sans compter sur le vent que Diego connaissait bien, celui de l'Altiplano et des Quebradas de son Chili natal.

Ce soir-là, dans le studio où Jo nous avait annoncé qu'elle voulait repartir au bord de son fleuve, nous avions fini par nous endormir sur le grand divan fatigué mais encore généreux, tous les quatre enlacés, enchevêtrés, tissés en un brocart d'amour. Je me souviens de m'être éveillé, de n'avoir pas bougé pour ne pas briser l'harmonie des corps, et j'ai pleuré. Michel semblait en paix, son grands corps abandonné. Il avait un air grave. Son front était pâle. Une de ses mains tenait celle de Jo, l'autre reposait paume ouverte en attente. Jo Traoré Sélavy était belle tout simplement. Diego tenait encore sa guitare. Il avait chanté *Canto a la pampa, la tierra triste*, celle des péons, des fronts populaires jusqu'à fredonner dans le sommeil. Il chantait pour nous, pour *el Norte*, pour ne pas oublier pourquoi, pour préserver ce qui nous était précieux, ces instants ensemble, pour ne pas nous désunir, pour oublier l'avenir qui se chargerait de nous séparer un jour.

Il avait fui la dictature et jouait dans divers groupes latinos. Je l'avais rencontré autour d'un guacamole dans une soirée au profit des réfugiés argentins et chiliens. Ils étaient tous là, les survivants de la torture, des prisons sud-américaines, les révolutionnaires bâillonnés, les familles décimées, les orphelins et tous ceux qui croyaient encore que les généralissimes pouvaient être déboulonnés. Ils avaient raison, on les déboulonne parfois, mais à quel prix! Tous étaient dans le nid de l'exil, à tenter de refaire une vie en attendant l'improbable amnistie, un nid rugueux où il fallait les mots, la musique et des mains tendues pour ne pas désespérer. Là encore, c'était pour ne pas se désunir. Et c'est ainsi qu'ils savaient rire, que je les ai rencontrés et aimés parce qu'ils étaient ce jour-là le chant général du monde.

Je passais place de la Sorbonne et je les entendais. Je suis entré pour voir. *Ven, ven, amigo*. C'était dans l'amphithéâtre. Tout autour dans les couloirs, la rotonde, les coulisses, il y avait des enfants qui jouaient, criaient pendant qu'une star gauchiste, sur la scène, tentait de lire des vers de Neruda ou de Cortázar. Il y avait de la bouffe, à boire, une fumée âcre de tabac et d'herbe, des discours, des refrains en chœur, des échanges politiques hautement inutiles mais fiévreux, et un gringo, moi, qui demandait ce que l'on fêtait. La pendaison de Pinochet en rythme et en rimes, c'est un rite, me dit une ardente Chilienne à crinière noire, on lui brûle la plante des pieds avec les poèmes et les chants de ceux qu'il a voulu faire taire, le guitariste dont il a coupé les mains, on le brûle avec la langue des acteurs qu'il a fait arracher, le sexe broyé des femmes et le silence qu'il n'aura jamais. Entre et reste jusqu'à la fin, je reviens. Moi, c'est Maria Helena. Cette femme avait la voix comme un fouet et une bouche pour réparer les dégâts. Comment ne pas obéir, il y a des diktats que l'on accepte. Un type avec une gueule d'Indien et une tresse dans le dos a chanté d'une voix rauque des légendes aymaras. Je l'ai retrouvé près d'une bassine de guacamole dont il semblait raffoler.

— Je cherche une femme dictateur, très belle, qui m'a dit "je reviens" et qui n'est toujours pas revenue.

— Belles ou pas, les Chiliennes ont beaucoup de caractère. Soyez très vigilant si c'est votre première expérience.

Elle n'est pas revenue. J'avais perdu Maria Helena avant le premier baiser mais Diego était devenu mon ami.

— Rien n'est joué, elle saura vous retrouver. Maria ne lâchera jamais deux yeux bleus.

Avec Diego, j'ai appris un peu plus sur la poésie, la révolution et la politique. Je préférais la poésie, lui aussi, mais quand la politique flingue les poètes, on arme les poètes : première leçon. Il y en eut d'autres, mais la musique et les poètes eurent notre préférence. Je ne veux plus être d'aucun parti, me dit-il, être obligé de penser comme lui, d'agir sur ordre. Bien sûr que la tyrannie est une déclaration de guerre à la liberté et à l'esprit, j'ai lutté contre ça et je continuerai mais je ne sais plus s'il faut pour cela lever le glaive.

Un dimanche morne, j'étais entré dans le studio pour attendre Diego. Une fille, de dos, chantait, seule sur deux violons et un saxo enregistrés. La voix était grave, sensuelle, et servait un jazz latino avec une fièvre toute solitaire. Dernière note, elle arrache le casque et libère une crinière noire avant de se retourner pour une grimace. En me voyant, Maria Helena la bourrasque se figea un instant avec un sourire immense, une bouche démesurée, puis développa une joyeuse logorrhée dont elle fut la seule auditrice, Diego ayant coupé le son. C'était charmant de voir ses lèvres prononcer du silence, ses mains hacher la lumière, et je savais déjà que je ne pourrais jamais l'aimer qu'ainsi, muette, ou sur disque.

Il y eut pour le quatuor le vin partagé, les nuits blanches, les chants du silence entre les débats fiévreux, les fugues et les murmures, les questions après les caresses. On jouait à la vie, comme des funambules.

## 12

J'avais du plaisir à monter, la nuit, seul dans le feutré du studio où parfois Jo venait me voir. Camille trouvait toujours un prétexte pour aller se coucher. Jamais elle n'aurait dit: je vous laisse. Elle rangeait son cahier de notes, m'embrassait furtivement et se sauvait comme si nous l'avions chassée. Jo regardait les images, donnait parfois son avis, et nous faisions l'amour dans les forêts de Bornéo ou les rues de Tamatave. Il nous est arrivé d'avoir eu très chaud avec beaucoup de plaisir entre les icebergs de la Terre Adélie et de nous endormir sous le regard bienveillant d'une femme aborigène. Au réveil nous fêtions la naissance du jour à la brasserie Saint-Michel avec d'immenses tartines beurrées.

Un hiver, alors que j'étais sur les trottoirs de Manille, Jo s'en était allée. Elle avait laissé un mot pour Michel, Diego et moi: "Je vous aime mais je caille trop chez les blancs, Gao me manque, venez me voir et laissez vos anoraks. Je serai joignable à l'institut Saint-Joseph si urgence. Pour moi il y a urgence, je vous attends."

Nous n'attendîmes pas que nos prestations nous offrent un aller-retour pour le Mali. Il y eut un pot commun très insuffisant mais les dieux aimaient Jo. Je proposai à une agence d'aller filmer une fête dogon dont je venais d'apprendre qu'après des siècles d'oubli elle ressurgissait dans la mémoire de ce peuple, et je souhaitais ne pas passer à côté de l'événement. On m'accorda un billet, des frais de route et de quoi payer un assistant africain au minimum tribal. Avec un gros mensonge et une belle solidarité, nous y sommes allés, puisqu'il y avait urgence. Il fallait être là pour inaugurer L'Iguane et faire bouffer les mômes.

Ce fut un chant, une danse du désert. Tout avait un sens. Chacun s'oubliait pour les rires des enfants, consoler les chagrins et effacer les craintes dans les regards des plus petits. Nous avons assisté aux offices de Saint-Joseph avec une dévotion de moines et fait l'amour comme une prière. Nous n'aurions pas de petits métis mais nous avions déjà beaucoup d'enfants et ce n'était pas la fin du conte, du moins nous l'espérions. J'ai filmé la balade en pirogue sur le Niger, une pirogue en blouse bleue pour famille nombreuse avec les sœurs toutes retournées de bonheur. Il y eut une excursion jusqu'à la forêt de Diembane.

Diego a raconté aux enfants que les fromagers sont de gigantesques contorsionnistes qui dansent, invisibles pour l'homme, des figures de légende. Leurs gestes sont si lents, si démesurés, qu'on ne les perçoit pas. La danse des siècles. Comme Shiva, ils multiplient leurs membres, les étirent, les retournent vers le ciel et la terre, se penchent infiniment, puis dessinent dans l'espace des orbes végétaux. Ce sont des danseurs fous qui pratiquent le *slow motion* avec un art inimitable. Les mômes regardaient les arbres avec fascination, un mélange d'inquiétude et d'admiration. Ils cherchaient le mouvement dans l'immobilité. Alors, j'ai dansé comme un derviche sous les branches, je tournais lentement en regardant vers le haut. Oui, je les vois bouger maintenant, Diego a raison. Et, tous, nous avons dansé sous les fromagers de Diembane. Le soleil couchant soulignait leurs ombres et il m'a semblé voir des frissons de lumière sur leurs peaux d'écorce.

Ce furent les plus beaux jours de Michel et de Jo, les nôtres aussi bien sûr, mais Michel semblait en paix et Jo découvrait cela chez lui pour la première fois. Diego et moi mesurions la fragilité de cette paix sur laquelle planait l'ombre de l'éphémère. Il y eut une soirée de chants et de prières organisée par Saint-Joseph en notre honneur et pour L'Iguane. Un autel succinct fut posé sur la plage de sable, quelques bougies et des fleurs de bougainvilliers dispersées sur une nappe blanche. Des bancs avaient été gaiement empruntés à la petite église et le village attendait sagement la fraîcheur relative du soir. Les sœurs virevoltaient parmi les enfants et le prêtre venu de Gao pour cet événement bavardait avec Jo. Nous étions dans le domaine de l'impératrice, sur lequel elle rayonnait avec une joyeuse autorité. Nous aimions son rire qui vous éclaboussait de bonheur et laissait des étoiles dans le cœur des mômes.

Samba alluma les bougies, le silence se fit et le prêtre nous parla d'amour, de paix, de générosité. C'était juste, simple, sans qu'il fût besoin de "croire" au Seigneur des chrétiens. C'était un prêtre de la terre, du désert, qui avait retroussé ses manches pour donner un coup de main et offrir autre chose à manger au peuple que des hosties. Ses gestes étaient doux comme la lumière. Le Niger coulait, paisible, vers le couchant sous des miroirs en feu. Il y eut les chants en bambara et en français, des cantiques arrangés sur des rythmes d'Afrique qui vous interdisent de ne pas avoir envie de danser. Ce serait pour plus tard. En attendant, ça balançait les corps qui devenaient vagues et le prêtre suivait. Il y avait une légèreté de la nuit, une transparence harmonieuse, une beauté que j'osai filmer parce que j'étais le cadreur fou avide de piller les moments. Je ne savais pas ne pas filmer et, le faisant, je devinais pourtant qu'aucune image ne me rendrait l'instant que je ne savais pas vivre, ou si mal. La nuit vint à mon aide et il me fut interdit de filmer par manque d'ouverture de mon objectif incapable de saisir la danse des ombres sur les visages, le vacillement des petites flammes sur les coupelles de bois ou même, et c'était terrible, cette lumière dans les yeux des enfants qui était pourtant si vive. Alors, j'ai pu communier avec tous et être sous le charme. Il y eut une longue prière, les mots s'envolaient pour ne laisser que le sens. Il y avait un parfum d'orange, de cannelle, et une larme qui glissait lentement sur la joue de Jo.

Soudain, deux phares puissants frappèrent la scène dans un éblouissement cruel. Jo, à voix basse, prononça un "Merde, le revoilà". Un crétin avait déchiré l'harmonie et ponctuait sa connerie par un coup de klaxon et un claquement de portière. Les phares éteints, la nuit était revenue, plus noire et sans mystère. Les chants s'étiolèrent et les vagues des corps se désunirent pour trouver une grève. Une sœur éteignait les bougies et une enfant en garda une dans le creux de sa main qu'elle protégea soigneusement de la brise et du mauvais souffle qui venait d'arriver. Je voyais son visage qui fixait la flamme comme un trésor, le témoignage d'un soir unique sur les bords du fleuve. Elle emportait dans sa paume la grâce de ce moment. Tout était dans le minuscule œuf d'or au centre de la mèche. Elle tenait la création du monde dans la main.

— Qui est ce type? demandai-je à Jo qui enrageait que notre petite fête de l'orphelinat se termine sous les feux insolents d'une Mercedes de contrebande.

— Une verrue, pas plus que ça. J'en ai assez de ce grand nègre prétentieux qui veut marier mon cul et avoir sa gueule à côté de la mienne dans ses dîners de voyou. C'est un ancien ministre reconverti dans des affaires pas claires. Je l'ai rencontré au centre culturel de Gao où il laisse quelques dollars pour l'alphabétisation. Je l'ai cru et, quand il a su que je m'occupais d'un campement et d'un orphelinat, il a voulu m'aider. Pourquoi non, quand il s'agit des enfants. Il est venu, il n'a même pas voulu voir Saint-Joseph, il a reluqué L'Iguane et m'a proposé de nous associer, d'agrandir, de faire une piscine, un restaurant panoramique sur le fleuve et un élevage de crocos pour attirer les touristes.

Diego restait silencieux comme à son habitude et Michel voulait démolir la bagnole. Quant à moi, j'espérais ne pas le rencontrer. Un grand nègre avec un costume-cravate et une carrosserie gris métallisé dans un endroit comme celui-ci était d'un absolu mauvais goût.

— "Ça marche comme ça, monsieur Diamembo, lui ai-je dit. Je n'ai besoin de rien." "Je regrette beaucoup votre refus, mademoiselle Joséphine, nous pourrions construire un vrai dispensaire." "Construisez, monsieur Diamembo, construisez, ces gens en ont besoin." "Oui, bien sûr, mais il me faudrait néanmoins une motivation et vous me plaisez beaucoup, Joséphine." "Ce n'est pas réciproque." "Ce n'est pas une question d'argent, j'espère ?" "Si, votre argent n'a pas de cœur." "Vous ne savez pas tout de moi, mademoiselle l'orgueilleuse." "Suffisamment pour éviter la catastrophe." Il m'a regardée en souriant et m'a demandé de bien réfléchir, qu'il reviendrait avec des plans et de sincères propositions. Il est reparti en regardant L'Iguane et m'a dit avec une délicatesse de hyène que ce serait dommage. Bon, j'y vais et je le vire.

— On t'accompagne, Jo.

— Non, ce n'est pas une histoire de toubabs.

— On reste dans le coin. Si tu as besoin de nous, tu cries "Rose Sélavy" et on le noie dans le Niger avec son char.

Diego nous tira à l'écart, soucieux mais calme. On aida à ramener les bancs à l'église en acceptant les galettes de coco râpé, des rires et des petites mains dans les nôtres pour salaire. Difficile tout de même d'oublier le roman noir à deux sous dans lequel nous étions. Trois braises s'agitaient dans la nuit. Nous fumions, agacés de savoir Jo Sélavy sous menace. Nous échafaudions tous les plans, même les plus absurdes. Je me souviens surtout que la mayonnaise montait après avoir imaginé L'Iguane en cendres comme représailles de la verrue. Nous étions déjà des criminels en puissance. Je crois profondément aujourd'hui que si cela était arrivé, j'aurais supprimé ce type sans remords et parce que dans une époque marine j'avais vécu des humiliations qui ne se discutaient pas. Il y eut, dans le silence, un "Jo Sélavy" qui nous fit cracher nos clopes et bondir au secours de la rose noire. Avant d'atteindre la véranda où l'on croisait les mots, Jo, théâtrale, nous accueillit en feignant l'indignation.

— C'est bien les hommes, pas là quand on en a besoin, c'est toubab ça, les femmes au front, les maris à la sieste. Je vous présente M. Diamembo, ancien ministre du Tourisme, et voici M. Diego, M. Michel et M. Marc, mes trois maris.

Petit silence de malvenue.

— M. Diamembo veut me marier et ne croit pas à mes maris toubabs, actionnaires majoritaires dans L'Iguane.

M. Diamembo riait un peu mécaniquement en répétant: "Vous êtes facétieuse, mademoiselle Jo, vous êtes très facétieuse."

— Non, monsieur, notre femme n'est pas facétieuse, c'est une femme sérieuse, fidèle à ses maris, et qui n'a pas le droit de mentir devant un étranger, dit calmement Diego.

— Messieurs, ne vous moquez pas, il n'y a aucune loi qui autorise une femme à avoir trois maris.

— Aucune, en effet, seule notre confrérie le permet.

— Quelle confrérie? demanda l'ancien ministre.

— La confrérie Sélavy, dont notre femme est la rose, monsieur.

— C'est la vie? Ou Sélavy? Comme... comme Rose Sélavy?

Nous restâmes cois.

— J'ai fait mes études en France, messieurs les maris de Mme Joséphine. J'étais venu avec des intentions louables, je le regrette.

— Nous vous en remercions, monsieur Diamembo, mais néanmoins notre femme n'est pas à vendre, insistai-je menaçant. J'étais au bord du meurtre.

Michel, qui n'avait rien dit jusque-là et ne souhaitait pas être en reste, lui asséna qu'il ne tolérerait aucune pression tant psychologique que physique à l'intention de Mme Jo et que nous avions les moyens politiques de mettre un terme à ce harcèlement. C'était culotté. L'avions-nous impressionné, peu probable, mais Diamembo disparut dans la nuit et n'inquiéta plus Jo. Il avait d'autres affaires et plus tard Jo nous apprit qu'il avait été assassiné dans un hôtel de Niamey, au Niger, alors qu'il était sous mandat d'arrêt pour trafic d'armes. Drôles de gens.

Nous laissâmes nos devises et le fond de nos poches pour L'Iguane et l'orphelinat.

Sans Jo, Paris que nous aimions, n'était plus le même Paris. Nous l'aimions à travers elle et il y eut quelques errances de phalènes prédatrices. Diego songeait à un projet, celui d'enseigner aux Indiens pauvres de la Cordillère la musique et les lettres du monde et, je suppose aussi, sourdement, un peu de cette révolution pour laquelle il avait failli perdre sa peau. L'Aymara rêvait de s'envoler comme le condor. De là-haut, il regarderait "ce long pétale de mer, de vin et de neige" dont parle Neruda et, fier, il chuchoterait: "Je suis de cette terre." Juste avant le départ de Jo il avait laissé une femme, un de ses amours à lui, coup de foudre, une femme qui ne voulait plus d'hommes et qu'il avait pourtant séduite. Diego aime les amours qui clochent, disait Jo.

— Pourquoi as-tu quitté Lucia?

Jo adorait les confidences et nous aimions bien nous confier à Jo.

— Elle disait qu'elle m'aimait. Moi aussi. Mais je me suis aperçu que, dans l'amour, elle se recevait elle-même. Je sentais cela, cette fusion indépendante, ce mariage solitaire avec sa jouissance à elle. Même son regard se perdait en elle. Elle aurait pu en aimer un autre à ce moment-là, mais elle ne le savait pas. Elle n'avait pas appris peut-être, ou trop souvent seule. On n'apprend pas l'amour seul. Il faut être deux pour être un dans l'oubli du monde, de soi pour l'autre, et se fondre dans la lumière, sans ombre.

Certains hommes, quand ils séduisent, tuent. Diego aurait bien voulu être ce tueur, mais on ne commande pas à l'amour, il n'est soumis à aucun ordre que l'abandon de soi à l'autre. Il voulait seulement se fondre en elle, ne serait-ce qu'un instant, mais elle était sa propre lave qui le repoussait, lui, au bord du volcan. Il était témoin des vagues incandescentes. Il aurait pu accepter d'être brûlé par elles, mais il regardait, fasciné, douloureux, cette femme qui disait "je t'aime" en fermant les yeux. Il ne recevait d'elle que des convulsions, et il regardait ses mains qui froissaient les draps sans plus le toucher. Elle s'éloignait de lui jusqu'au cri et encore plus après, quand, apaisée, elle le remerciait pour cet amour et il pleurait ce mensonge, l'imposture. Il faudrait être eau et sel à la fois et lui ne savait pas inventer cela. C'était fini et c'est lui dans son infinie souffrance qui se détachait d'elle. Il sentait s'écouler par la blessure ce mal qu'il avait d'elle et il s'apaisait peu à peu, comme un homme dans le bain chaud, veines ouvertes.

Jo avait laissé un long silence pour dire que, peut-être, les poètes ne savaient pas aimer.

Le voyage au Mali avait été un salut pour Diego et le départ de Jo, une proposition à revoir le Chili. Michel n'avait pas voulu rester là-bas, sa place pour beaucoup. Il voulait écrire un livre sur les "peuples peints" ou l'"art éphémère". Il lui fallait un prétexte pour partir et il est parti un jour en me laissant quelques textes sous le titre *Le Vent prend naissance à Matam*. Ce cadeau ne présageait rien de vraiment joyeux, mais je n'ai posé aucune question. Michel s'en allait.

J'étais revenu du Mali avec des images que je promettais à l'agence plus belles qu'une fête dogon à laquelle je n'avais pas été autorisé à assister. Je retrouvai ma salle de montage en espérant ne pas trop décevoir ceux qui m'avaient généreusement octroyé un billet pour visiter l'impératrice. Notre "femme" Sélavy là-bas, nous avions moins d'entrain. Le corps s'étourdissait parfois mais sans le cœur, il était trop lourd.

Camille était là toujours, le dos un peu plus voûté sur les rushes d'Amazonie, du Mali et ceux des îles de la mer de Chine qu'elle adorait. Il te faut une assistante. Jamais de la vie. Elle prenait possession des images et le monde que j'avais filmé devenait son territoire. Il fallait monter l'Amazonie mais Michel avait disparu et j'avais du mal à raconter notre histoire. Le Mali fut un récit médiocre malgré mes promesses et Camille s'est penchée sur les cimetières à bateaux philippins. Elle était fascinée par un long plan à la dérive entre les maisons d'oxyde qui surnageaient miraculeusement sur une huile lourde au milieu des dégueulis de la ville. Elle aimait la lave océane brûlée par le couchant, le regard de Sheila, l'homme-femme des hommes qui tirait la langue devant son baraquement. Il y eut de longs mois dans la boîte aux images. Il me semblait que rien n'avançait, que Camille était plus lente, hésitante sur les choix. Je la houspillais un peu, j'étais impatient et je montais des séquences entières sans elle. Elle était bien obligée d'abandonner son poste pour aller dormir et je reprenais mon territoire.

Michel ne revenait pas. Jo l'avait vu passer à Gao, ils étaient restés deux jours ensemble sans amour que des silences. Elle m'écrivait son inquiétude. Il avait cette habitude de partir longtemps sans laisser aucun message mais ce voyage-là s'éternisait. Diego mon ami, mon alter ego, avait pris un charter pour Santiago avec sa guitare, son *charango* et un peu d'une certaine Angelina, une photographe uruguayenne qui devait un jour le rejoindre dans les Andes. J'étais comme une luciole, désemparé, un enfant que l'on abandonne. Je me suis noyé dans les images, avec les Indiens Aetas dans les cendres du Pinatubo, les villages lacustres de Luzon pour monter les visages des pêcheurs dans la nuit, et celui, bouleversant, de la vieille Wana comme une chauve-souris sur le seuil de sa case, ravagée par le tabac et la fatigue. Je repassais en boucle les grappes d'enfants, les supermarchés du sexe, les filles les plus belles du monde dans les bordels d'Angeles City, Rini la petite beauté philippine de treize ans sur les genoux d'un gros Américain qu'elle léchait comme une guimauve. J'ai nagé des nuits entières dans le virtuel, les combats de coqs, les tissages de plumes rouge et or dans les mains des parieurs, le sang et la mort dans la légèreté des duvets. Je dormais sur un matelas.

J'avais demandé à Camille de faire des recherches de sons, des chants bontocs du nord de Luzon, difficiles, voire impossibles à dénicher, mais qui me laisseraient un temps sans elle dans la tanière de montage. Camille, qui souffrait déjà sans que je le sache et qui n'était pas dupe de mes demandes, Camille ma douce compagne de travail que je chassais pour ne pas lui montrer ma détresse. Elle m'appelait chaque jour pour me faire part de ses trouvailles, de ses idées, mais je savais que c'était son amitié qu'elle m'offrait ainsi, déguisée sous une pudeur extrême. Toi ma solitaire, l'attentive, qui n'avais pas eu besoin de défricher la terre pour comprendre le mal des hommes. Toi qui me disais : tu fouilles l'infiniment grand de la planète, si tu avais un vaisseau spatial, tu fouillerais ainsi le grand univers. Jusqu'où, Marc ? Pourquoi ? Je n'avais pas la réponse. Elle avait ri. Tu te bats avec ton infiniment petit contre la peur de cet infiniment grand qui est au fond de toi. Moi aussi, j'ai peur. Le reste du jour fut un long silence. Pourquoi tu ne t'es pas mariée ? Parce que je voulais un homme courageux, bon, doux et avec de bonnes racines sous les pieds ou, à défaut, en équilibre. Je ne trouverai plus maintenant.

## 13

Six mois plus tard, je recevais le carnet et la montre de Michel soigneusement enveloppés avec les pages du *Soleil*. Dans la poche en plastique "Chez Diam, épicerie fine" il y avait la lettre de Maïmouna m'annonçant que le vent de Matam avait tué Michel.

Dans le train, en revenant de La Rochelle, j'ai voyagé à l'envers, le corps vers Paris et la tête en flash-back. J'avais eu le temps d'un pèlerinage sur le quai des grumes et la digue du large, pour finir par le boulevard de la soif et la base sous-marine. Je n'avais aucune nostalgie que celle d'une enfance sans montre.

Ma mère n'avait rencontré mes amis que le temps d'un week-end et elle s'embrouillait un peu. La tête s'affole quand le corps fatigue. En m'embrassant, elle a murmuré qu'elle ne se souvenait que de son enfance. C'est curieux, ces bouts que j'avais oubliés et qui reviennent avec des accrocs. Tu embrasseras Amélie. Je n'ai pas répondu. Tu pars longtemps en Amérique? Un mois, peut-être plus, je vais essayer de prendre mon temps. Oui, prends ton temps, pas trop, je vieillis vite en ce moment. J'aimais bien ton ami Diego, tu lui diras! Jo aussi, mais c'est Michel que je préfère. Il est mort, maman. Elle laissa un silence. Pourquoi?

Je ne connaissais pas le nord du Chili et Diego me manquait. Je filmerais ce que je verrais. Il était revenu du côté d'Irina, à la frontière bolivienne. Il était aymara et avait déjà vécu là-haut, un exil contraint de dissident du régime Augusto Pinochet sous le nom de Martin Lucas Peredo avant d'être arrêté, torturé et relâché sans trop savoir pourquoi il avait échappé à la mort. Malgré ses origines, Diego commençait à regretter Paris, sa vie d'en bas, la musique, les échanges fiévreux, les rires, et il m'attendait avec bonheur. Il est faiseur de mots, ceux qui ouvrent les portes. Son écriture est témoin, issue des fissures volcaniques et du poudroiement des neiges. Elle est prière. Les mots écrits doivent être dits. Chants d'amour, rivières de cristal, ils irriguent la glaise pétrifiée. Pour la vie, uniquement pour la vie. Pour ne pas oublier, ni le sang, ni la sueur, ni les rires des clowns ouvriers aux visages de salpêtre. Mon ami écrit tout cela pour que nous chantions avec lui. Obsession de l'eau salvatrice et du souffle énergie, il sait que sous la paix visible couve la colère, la sève mortelle, et il le dit : "Le poète est chaman, guérisseur des maux par les mots qu'il pose sur les ailes du vent. Il est le fils du jour aveugle et de la nuit lactée."

Ici, il est question des Aymaras, des dictateurs, des mouvements populaires, de la révolte, de villes ensablées et des cirques sous la lune. Mais avant de le retrouver là-haut dans le *soroche,* le mal des montagnes de la Puna, je voulais voir le Pacifique, là où les nuages restent sur la mer, n'arrosent jamais la terre, et où les villes sont comme des bateaux ensablés. Je rêvais d'Arica en haut du glaive chilien, ville de pêche, de trafic et de drôles de filles. Les racines d'un peuple métis ne se démêlent jamais, elles continuent de s'enchevêtrer. Il y a des visages mélangés, échoués ici comme des barques sans nom. Personne ne se souvient de ce qu'était Arica la Péruvienne, et encore moins Arica de la Conquête espagnole, celle de Valdivia et d'Almagro.

Les nomades aiment les visages et ils tentent toujours d'en reconnaître un qui les reconnaîtrait. Parfois, il faut une vie pour ça. J'avais le temps. Je cherchais des histoires. Je traînais, curieux, à épier la vie des autres, à trouver beaux les mélanges, les petites familles bien mises qui sortent le dimanche après la messe, les Indiens venus chercher une vie meilleure et de l'alcool, les statues des héros sur les places publiques, les marchés, le port où dansent les taches de couleur, où nagent des phoques huileux et quelques immondices. J'aimais les colonnes de taxis, la nuit, comme de longues chenilles lumineuses, les bars, les salles de billard, les rues vives, la vulgarité des filles et la beauté sombre de certaines femmes. J'étais bien dans la fumée des braseros, l'odeur du poisson frit, les épices et les parfums bon marché.

Un soir, je me suis assis dans un bistrot de toiles cirées avec la télé sur le comptoir, un bistrot pour boire de la bière et manger des *pescados*. C'était dans un *barrio* très coloré, avec des rivières de néons pour spectacles en tout genre. Ça pépiait fort à la table voisine. Elles mangeaient des glaces italiennes qui fondaient devant leurs histoires et les regards qu'elles me lançaient. Je n'ai pas résisté. Gina n'est pas restée, elle avait un numéro au Hollywood bar, Marcia avait le temps, elle ne passait qu'à minuit, elle était tout à moi. Marcia s'appelait autrefois Marco. Les tabous sont au fond du port. Il n'y a que l'étrange promeneur que j'étais, venu d'ailleurs, qui souriait son ignorance. Et toi? Marc, comme toi. Tu crois que c'est un signe? Elle aimait bien parler, je l'ai écoutée.

Marco avait été marin, comme son père. A l'époque, c'était un jeune homme délicat, renfermé, avec des manières un peu féminines. On l'appelait la Rose depuis qu'on avait trouvé dans son caisson un portrait de lui en marin diaphane entouré d'une guirlande de roses et au dos duquel on avait écrit : "A mon fils chéri, l'unique, ma rose du désert, mon seul amour. Signé Alicia ta maman qui sait que tu ne penses qu'à elle." A partir de ce jour, on lui avait fait une cour effrénée pour baiser son cul. Il avait cédé pour certains et puis les fauves en mer avaient fini par se servir sans demander. La Rose se faisait enculer sans pouvoir gueuler. Il avait fini par être débarqué. Muté sur une frégate en mission dans les Magallanes, il était tombé amoureux, l'andouille, d'un officier qui bâillait avec sa femme quand il était à terre. On les avait retrouvés une nuit, emboîtés sur le bastingage. L'officier s'était éclipsé, la tige au vent, vers sa cabine et Marco était resté le cul à l'air, le futal en accordéon sur les godillots.

Il avait dû faire toute la coursive comme ça sous les insultes jusqu'à une lance à incendie avec laquelle on l'avait nettoyé de sa saloperie. Ils avaient bien essayé de lui foutre la buse dans le cul mais Marco s'était écroulé en larmes sur le guindeau et les marins émus avaient repris leur quart. Débarqué, Marco avait finalement été réformé par le conseil supérieur de la marine chilienne, fini la mer. Alors, il avait travaillé dans un bar du port puis sur le trottoir, après que la patronne l'eut surpris en train de sucer son homme. Plus tard, il était monté vers Arica.

– Tu sais comment j'ai commencé ? Ma première nuit, c'était avec une fille pendant le carnaval. C'était une belle fille. Elle s'était déguisée en fée. Non, en vierge, une sainte quelconque. Elle avait vraiment l'air d'une madone, avec des yeux très doux et des mains très fines.

– Tu es croyante ?

– Bien sûr. Elle m'a pris par la main et on a dansé toute la nuit. Elle m'embrassait en murmurant mon nom avec un accent traînant qui prolongeait Marco avec un *a* à l'infini. Elle était caressante, très hardie pour une madone. Moi, c'était la première fois que j'embrassais. Ça me faisait drôle. Elle ressemblait tellement à la sainte vierge au-dessus de mon lit, une sainte vierge russe que ma tante m'avait donnée pour ma première communion. On est allés dormir chez moi. J'avais une chambre sur le port, dans la maison d'un oncle qui était commis voyageur en articles religieux. C'était vraiment un signe. On était ivres, surtout moi. Je fondais dans son regard et dans sa bouche. Elle disait : je suis la fée de l'amour, Marco, pas une sainte. On a dormi ensemble. Au matin elle était partie. Il y avait un jeune homme à sa place dans mon lit, un jeune homme qui avait les mêmes yeux qu'elle. C'est comme ça, les fées. C'est ainsi que j'ai commencé la première nuit.

— D'où viens-tu, Marcia ?

— Puerto Montt, deux jours, deux nuits pour Arica. Je suis né à Puerto Montt, je travaille à Arica, artiste de scène.

— Ta mère le sait ?

— Non, pour elle, je suis son fils le marin. Depuis la mort de mon père, elle est revenue dans son village, près de Inca de Oro. Je lui envoie de l'argent. Tous les hommes qui veulent être fille viennent à Arica. Après, ils descendent sur Iquique, Calama, Antofagasta.

— C'est quoi ta spécialité ?

— Tu veux voir ? Je suce comme seuls les hommes savent le faire, je suce comme une artiste, gringo. J'ai un corps d'artiste. Si tu m'encules, tu pars dans les étoiles.

— En scène tu suces pas ?

— On n'a plus le droit mais je chante en play-back. J'imite les stars. Je fais aussi un strip-tease sur de la techno. Je me déshabille de dos. Ils y croient tous. Quand je me retourne, ils hurlent. C'est bon. Bientôt j'aurai des gros seins et plus mon machin.

— Ça les surprendra moins ?

— Je m'en fous, je suis une femme, je le sens, c'est comme ça.

— Tu iras voir ta mère quand tu seras fille ?

— Non, elle en mourrait.

— De ne pas te voir, elle en mourra aussi ?

— Le jour où je serai vraiment Marcia et plus Marco, quelqu'un lui annoncera que je suis mort en mer et qu'on n'a pas retrouvé mon corps.

*Canto a la pampa la tierra triste*
*Réproba tierra de maldición...*

Marcia avait une jolie voix, de grands yeux noirs et des cils qui rendaient jalouses toutes les filles du trottoir. Elle était belle. Elle faisait envoyer des cartes postales du monde à sa maman par les marins avec qui elle baisait. Un jour, sa mère apprendrait brutalement la mort de son fils au large du Chili ou d'ailleurs parce que pour elle, Marco était marin comme son père qui était mort d'un coup de canif dans le port d'Iquique. Le fils, qui connaissait l'histoire, avait demandé aux autorités de dire à la mère que le vieux s'était noyé en voulant sauver un camarade qu'une vague avait emporté par-dessus bord. Pourquoi cet imbécile d'Ernesto s'est foutu à l'eau, pleura Alicia, alors qu'il nageait comme une pierre ? Ça, Marco ne le savait pas mais l'honneur était sauf et sa mère pouvait continuer à marcher la tête haute. Pour elle, son fils serait officier et elle était fière de lui. Marco, qui ne savait pas comment vieillir en femme sans queue avec uniquement son cul et sa jolie bouche pour vivre, avait juré de ne pas lui faire de mal et que jamais elle ne verrait ça. Alicia, qui avait eu une enfance terrible à récurer chez les autres, savait à peine lire et

166

écrire. Elle répondait à son fils avec l'aide d'un prêtre pour ne pas que l'on se moque de Marco si un indiscret ou une autorité militaire venait à lire les lettres tendres, maladroites et amoureuses d'une mère. Le prêtre devait toutefois freiner ses ardeurs au bord de l'inceste. Son affection débordante dépassait de loin ce que le prêtre s'autorisait à écrire et Alicia subissait une frustration muette que son visage traduisait par une moue.

Une fois, Marco avait envoyé un client régulier voir sa mère, un type marié qui était représentant en produits de toilette dans tout le nord du Chili, de Inca de Oro jusqu'à la frontière bolivienne. Il démarchait pour des savons, des eaux de Cologne qui venaient de Mendoza, et, comme tout le monde, il proposait aussi des vierges polychromes de toutes les tailles avec des guirlandes électriques, des crucifix lumineux, des cartes de saintes avec des prières et des portraits peints de Jésus tout à fait réalistes, c'est lui qui le disait, ça se vendait très bien. Marco lui avait demandé de passer par son village pour déposer des petits cadeaux de parfumerie chez Alicia avec des échantillons gratis que le client lui avait promis. Il pourrait lui baratiner tout ce qu'il voulait pourvu que sa mama soit heureuse de voir un ami de son fils qui trouvait le moyen de lui faire porter des présents bien qu'il soit toujours à courir le monde sur les mers. Le type qui se faisait appeler Eusebio avait bien fait son boulot. Il faut dire que Marco-Marcia lui avait promis un mois de pipes à l'œil, sans abuser bien sûr. Eusebio adorait caresser les cheveux de Marcia quand elle pompait. Il lui parlait de sa femme qui détestait faire ça. Elle trouvait que c'était dégoûtant et, quand elle cédait, elle avait toujours les dents qui traînaient, alors que Marcia était vraiment la reine. Il n'avait jamais demandé à sa femme de la sodomiser, quand on connaissait Emiliana, l'idée même de la chose paraissait impossible. Marcia est là pour ça, mon chéri, lui chuchotait Marco.

Eusebio avait été reçu comme un fils. Il avait dû rester dîner puis dormir, ce qui lui avait économisé ses frais de mission. Sur le buffet, Alicia lui avait montré toutes les photos de Marco en marin. Il n'aurait pas pu ne pas les voir, il y en avait partout, des photos que Marcia avait faites avec des fonds en trompe-l'œil chez un photographe d'Iquique. Un matelot lui avait prêté son uniforme et il posait devant un temple hindou, une pagode, il y en avait une avec la statue de la Liberté, le plus souvent c'était une coque avec une ancre et un nom, *Amsterdam, Yokohama, San Francisco.* Par amour pour sa mère, il avait même poussé le vice de faire un cliché avec deux filles, deux travelos comme lui qui le tenaient par le cou. L'une d'elles l'embrassait sur la joue et Marco affichait un sourire de mâle comblé. Alicia avoua à Eusebio qu'elle avait été un peu jalouse de ces deux femmes et que la photo était restée longtemps dans un tiroir. Eusebio, bouche ouverte, esquissa un petit sourire d'incrédulité qu'Alicia prit pour de l'admiration, ce qui était un peu vrai tout de même. Elle lui montra tout, sa chambre intacte depuis son départ, ses quelques jouets dont une collection de poupées espagnoles avec des robes à volants de toutes les couleurs, la bassine dans laquelle elle le baignait, ses cahiers de classe avec ses premiers dessins et des poèmes que Marco écrivait lui-même en vers avec des rimes croisées, ce qui était beaucoup plus délicat, comme en avait convenu Eusebio. Il dut admirer les cartes postales d'un tour du monde virtuel et lire les lettres de Marco décrivant d'impossibles voyages, dont l'une avait le tampon et les timbres d'Afrique du Sud et donnait force détails sur la route des vins, celle des fleurs, avec une bouffée lyrique sur le cap de Bonne-Espérance, la traversée du Transkei jusqu'à Durban dans le KwaZulu-Natal et les contreforts du Drakensberg, le tout honteusement pompé sur un guide touristique.

Eusebio était allé se coucher, épuisé, au milieu des robes espagnoles en priant que le petit-déjeuner soit un peu tranquille, ce qu'il fut, Alicia ayant passé son temps dans la cuisine à faire des crêpes et des petits chaussons aux pommes qu'adorait Marco et qu'Eusebio emmènerait pour la route avec une petite bouteille de pisco.

Il était revenu vers Marcia tout chamboulé par l'imagination qu'elle mettait à tromper sa mère. Il disait que ça le gênait un peu d'avoir vu sa maman si heureuse de savoir son fils dans la Royale chilienne alors qu'il faisait la pute et des fellations. Il avait beaucoup apprécié Alicia qui l'avait choyé comme son fils. Il se sentait coupable et complice du mal, lui, Eusebio qui était d'une famille très catholique et croyant par tradition. Il revint pour ses pipes gratuites et disparut comme un foireux qu'il était. Marcia connaissait les hommes et leur lâcheté, ça ne lui avait fait ni chaud ni froid. Elle ne regrettait que les échantillons de parfum qu'elle testait avec les autres clients. Seul Eusebio se mordrait les couilles en retrouvant Emiliana.

Un an auparavant Marco-Marcia était tombé amoureux d'un marin français qui faisait le tour du monde sur un bateau de la Royale. J'avais ri, tant ce monde est minuscule. Combien de possibilités avais-je de rencontrer un travesti dans un bar de la côte chilienne ayant une liaison fiévreuse avec un marin français naviguant à bord d'un rafiot sur lequel, vingt-cinq ans plus tôt, j'avais comme lui franchi les longitudes ? Pourquoi tu ris? Parce que j'ai navigué deux ans sur ce bateau, il y a longtemps. Je ne peux pas le croire, avait répondu Marcia, la bouche entrouverte et les lèvres tentantes. Alors, tu connais Valparaíso? C'est là que je suis venu, juste après la mort de mon père. J'avais dit à ma mère que j'allais passer le concours des officiers. Me faire baiser le con tout court par les officiers, m'avait-elle lancé en riant. Elle avait dit ça sans vulgarité aucune. Elle assumait l'étrangeté de son personnage avec une évidence délicieuse. C'est ce qui avait dû plaire au jeune marin, et qui me plaisait aussi. Déçu par le paradis qu'il avait cru trouver, il s'était posé un instant avant de rentrer à bord. *Valle Paraíso* ou le val paradis, le rêve de tous les marins de la terre. La rue des bordels était vite écumée et le quartier chaud plutôt tiède, c'était un port comme les autres mais la ville en terrasse sur les collines était belle.

Marcia prenait un café avec une autre fille. C'était la pause entre deux passes. Il avait cru à la petite brune pétillante qui lui souriait. Moi aussi. Marcia s'était laissé faire pour un autre café puis par une petite cour dérisoire qui ne lui déplaisait pas. Il était craquant, le quartier-maître, avec ses yeux bleus. Toi aussi, tu as les yeux bleus, me dit-elle avec un adorable sourire. Elle aimait les yeux bleus et les petits marins. Elle n'avait pas décliné d'identité et avait suivi le Français dans une rue sombre où il l'avait embrassée, de longs baisers dont elle n'avait jamais oublié le goût. Elle avait vite trouvé comment défaire le pont du pantalon et il avait joui dans sa bouche, ce qu'elle n'acceptait jamais. Elle avait même gardé le sperme longtemps avant de l'avaler. Elle avait trouvé ça bon, et lui aussi. Il avait essayé de la prendre un peu plus tard dans une cour qui puait le rance, le poisson séché et la pisse. Elle avait refusé et voulait une vraie chambre. Elle était vraiment "tombée".

Ça s'était un peu gâté là-haut, dans sa petite piaule rose à fleurs comme elle aimait, qu'elle avait louée sur la colline de Bellavista en disant à la logeuse qu'elle était serveuse dans une pizzeria de la plaza Aduana. Le Français, qu'on appelait Ange, avait fini par mettre sa main sous la robe de Marcia. Il était resté en arrêt, comme un chien de chasse, pétrifié tout de même, et il s'était mis à aboyer comme si on lui avait marché sur la queue. Il aurait pu la tuer, il avait même tenté un étranglement, mais Marcia avait l'air si désolée, si triste, et elle semblait si prête à mourir de le voir à ce point horrifié qu'il avait fini par se calmer, surtout après qu'un type avait gueulé qu'il allait prévenir les flics si ce bordel continuait. Ils avaient terminé l'explication en chuchotant, ce qui ne manquait pas de charme. Ange l'avait trouvée émouvante et c'est lui qui avait fini par demander pardon. C'était la première fois qu'il se faisait faire une pipe par une tante. T'as vu une différence ? Elle aurait bien voulu qu'il la prenne mais c'était au-dessus de ses forces, paraît-il. Même sans payer comme elle avait dit.

Ils avaient beaucoup parlé et il avait donné son nom et son adresse à bord pour qu'elle lui écrive des lettres pour sa mère et qu'il les poste à Manille, Veracruz, Marseille. Il glisserait une carte postale du bled avec un cœur qui pleure et en lettres d'imprimerie il écrirait *Yo te quiero, mama* avec un M pour Marco. Ange était resté toute la nuit à bavarder sur la vie de la petite pute qu'était Marcia. Ils avaient opté pour une mixité des langues, un espagnol scolaire pour Ange et un peu de français charmant que Marcia avait appris à l'école des sœurs de Santa Lucía de Puerto Montt. Avec le jour, elle avait retrouvé un peu ses traits de garçon. La fatigue l'avait marquée mais aucune barbe significative ne naissait sur son menton et ses joues. Elle avait l'air d'une jeune femme un peu masculine et lasse. Elle regardait Ange avec beaucoup de tendresse. Personne ne l'avait écoutée ainsi, sans la juger, avec patience. Il avait posé beaucoup de questions et Marcia avait toujours répondu avec franchise, sans pudeur, avec l'évidence d'une vie choisie dans les contraintes d'une nature capricieuse. Elle avait fait la même chose avec moi.

Le Français s'était engagé dans la Royale pour un tour du monde et après, s'il ne rempilait pas, ce qui était probable, il consacrerait sa vie à voyager et peut-être travaillerait-il dans l'humanitaire. A bord, il continuait des études avec les officiers. Il lisait beaucoup. Marco aussi aimait lire, des histoires d'amour bien sûr, mais aussi les biographies d'artistes et de grandes aventurières. Il aurait voulu avoir la vie de Karen Blixen parce que c'était une grande amoureuse. Marco avait longuement raconté la passion qu'il avait pour la femme de Pedro de Valdivia, Inés de Suárez, qui avait suivi son conquistador jusque chez les Mapuches et courageusement pris les armes contre eux quand ils avaient attaqué la petite garnison espagnole, alors que Pedro combattait au loin, attiré dans un piège. Ange connaissait bien l'histoire du chef araucan, Lautario, qui, fait prisonnier, s'évada et devint chef de la rébellion araucane. Il vainquit l'indomptable Valdivia qu'il fit mettre à mort en lui faisant avaler ses rêves, de l'or fondu.

Marco, lui, connaissait la vie de Marilyn Monroe par cœur. C'est comme cela qu'elle devait finir, murmurait-il, les paupières baissées, encore touché par ce deuil. Elle était trop artiste, trop sensible. C'était une femme déchirée par l'amour. Je suis certaine qu'elle n'aimait pas son corps. Il faut aimer son corps. Comment tu le trouves mon corps, Ange? J'ai des beaux seins, déjà. Il s'était mis à poil pour lui montrer.

C'étaient deux petits seins d'adolescente. Il avait coincé entre ses cuisses sa queue avec ses couilles pour les cacher et, ainsi, il ne restait qu'un triangle noir, comme une femme. Tu es très belle. Heureuse, elle avait fait du café. J'aurais aimé être maquilleuse. Un jour, elle avait fait de la figuration dans un film pour la télé. Elle était toujours fourrée avec le maquilleur qui lui avait promis un stage mais qu'elle n'arrivait plus à joindre parce qu'il avait dû changer de numéro. Remarque, c'est un peu bouché dans le showbiz, alors c'est peut-être mieux comme ça. Le costumier me détestait, une honteuse qui ne supportait pas les femmes. Ça me faisait rire, s'il avait su, la pauvre chose.

Ange lui avait donné un peu d'argent qu'elle avait d'abord refusé et elle l'avait raccompagné à la porte de l'arsenal. Ange avait tout de même hésité mais elle avait remis un peu d'ordre à sa féminité et il ne craignait que la bêtise. Tu sais que des officiers de ton bord sont venus jouer avec moi ? Ah ? Oui, et ils ont beaucoup aimé le petit cul de Marcia. L'air était doux, presque frais. Les rues étaient déjà gaies. Marcia souriait. Elle aurait voulu prendre le bras de son petit marin, mais elle n'osait pas. Le navire de la Royale restait une semaine. Ange n'était pas de service le dernier jour et il viendrait dîner avec Marcia. Elle l'avait laissé s'échapper dans l'enceinte militaire en essayant de le voir le plus longtemps possible, mais il s'était vite envolé derrière un grand bâtiment vers une coupée invisible. Elle ne regrettait pas trop la navigation, elle n'était pas heureuse à bord, avec l'estomac retourné et les viols successifs.

Le surlendemain elle attendait Ange, un peu camouflée tout de même. C'était l'heure des permissionnaires et elle ne voulait pas que les trois tantes d'officiers qui l'avaient baisée la reconnaissent. Ce n'était pas pour elle, ils avaient été généreux, mais pour Ange. Il avait été surpris mais finalement fier d'avoir une jolie fille au bras, car elle lui avait pris le bras et il regardait si les autres marins les voyaient. Un peu d'envie, ce n'était pas méchant et puis, ça alimenterait les bruits de coursives pendant la traversée. Ça l'amusait de savoir ce qu'il savait. Ils avaient dévoré d'énormes oursins sur le marché aux poissons en écoutant un chanteur populaire qui grattait une guitare douloureuse accompagné d'un accordéon bleu constellé d'étoiles d'or. Elle lui avait remis quelques lettres d'avance à poster où il voudrait, sans oublier d'acheter, sur place, une carte postale avec : *Yo te quiero, mama.* Signé M.

Ils s'étaient baladés dans Valparaíso, sur les hauteurs, au couchant. Marcia disait qu'ils avaient l'air d'un gentil couple d'amoureux, qu'elle était heureuse d'avoir rencontré Ange, que la vie pouvait être belle parfois, simple et belle, et elle avait pleuré. Ils s'écriraient, c'était promis. Ange, pour la première fois, lui avait caressé le visage pour la consoler. Elle avait dit merci et Ange avait été touché. Ils ne se reverraient pas, c'était probable, mais Marcia, qui s'était joliment maquillée pour cette soirée d'exception, avait soulevé ses cils comme deux papillons pour lui demander, amoureuse, s'il reviendrait. Ange n'avait pas eu besoin de répondre. Marco avait vingt-cinq ans, et revenu à Arica il continuait à écrire au marin, des lettres pour sa mère, bien sûr, mais surtout des lettres pour Ange, des lettres d'amour, pudiques, romanesques comme la rose qu'il était.

C'était l'heure pour Marcia de faire son numéro à L'Eldorado. Tu veux voir ? J'ai accepté. J'ai vu une partie du spectacle. Sans commentaire. Vulgaire et d'une tristesse infinie. Il y avait là quelques hommes seuls, des couples qui hurlaient des insanités aux nus qui s'exhibaient sur une scène minuscule, dans une cave sordide qui puait la clope et la bière tiède. Il ne restait que les aigus de la sono, les play-back étaient déchirants. Les lumières vomissaient des couleurs pistache qui rendaient cadavériques les corps des artistes et retournaient les estomacs des clients. Au milieu de tout cela, seule Marcia échappait au massacre. Elle conservait une fraîcheur déroutante et une beauté qui fascinait. Elle avait quelque chose d'incompréhensible qui nous faisait très vite oublier le tombeau dans lequel elle se produisait. En hommage à Ange, avant son strip-tease elle chantait *Mon amant de Saint-Jean*:

> *Comment ne pas perdre la tête*
> *Serrée par des bras audacieux*
> *Car l'on croit toujours*
> *Aux doux mots d'amour*
> *Quand ils sont dits avec les yeux.*

Je n'ai pas regardé le numéro suivant. Une grosse laiteuse qui poussait des couinements imbéciles annonçait les artistes, dont une blonde en smoking avec une voix de basse. J'ai évité un frottement appuyé et la main égarée d'une montagne à qui j'ai souri platement et lâchement avant de dégager vers la sortie, non sans nausée. Je suis retourné au bistrot de notre rencontre où elle devait me rejoindre. Il était une heure du matin, huit heures en France, j'avais une chance d'avoir Camille. Avant que je puisse obtenir gain de cause auprès du patron pour appeler l'Europe, Marcia intervint. Qu'est-ce que tu veux? Appeler ma mère en France. Pourquoi ai-je dit ma mère? Il est certain que je devais aussi l'appeler, elle serait déjà debout.

Marcia regarda le patron comme une petite fille qui sait comment s'y prendre pour que rien ne lui soit refusé. Fidel, mon ami voudrait parler à sa petite maman pour son anniversaire, tu ne peux pas lui refuser d'embrasser sa mère. Fidel, un type gominé, danseur de tango dépressif qui semblait n'avoir jamais connu sur son visage un sourire de bonheur, eut soudain une virgule au coin des lèvres et souleva un sourcil. *Seguro, para la mama*, il fallait le dire. J'ai donc appelé la mama et suis revenu auprès du danseur pour dire que la communication avait été coupée et qu'il me redonne la ligne. Ce qu'il fit. Camille était encore au travail, comme d'habitude. Elle se plaignait de son dos ces derniers temps et je voulais qu'elle évite de passer ses nuit à explorer l'Amazonie. Je l'ai grondée comme elle aimait. En repassant devant le comptoir, Fidel me dit : vous avez deux mamans ? J'ai ri, pas lui, ou peut-être si, mais avec les sourcils, Fidel souriait avec les sourcils. Marcia m'attendait impatiemment.

— Comment tu m'as trouvée ?
— Superbe.

Nous avons bu des petits cafés au lait et, jusqu'aux premières heures du jour, un peu fanée, elle avait continué à me raconter sa vie. Je l'ai revue trois jours de suite, à la fois pour les quelques images et notes que je prenais, mais aussi troublé par l'être étrangement séduisant qu'était Marcia. Elle était pute et follement amoureuse de son marin français qui ne pouvait, par goût, partager sa passion. Elle ne comprenait pas ma réticence à faire l'amour avec elle. Moi-même, je n'étais sûr de rien, et seuls quelques tabous encore enfouis m'ont empêché de le faire. Mais j'avais le plaisir d'être avec elle et de me balader dans les rues d'Arica, comme son Ange à

Valparaíso, sous les regards envieux des hommes. Elle était tendre et d'une sensualité troublante. Nous avons vécu tous ces jours avec un vrai bonheur. Je comprenais le marin français. Je l'ai payée pour le temps qu'elle passait avec moi. Je l'ai filmée, elle aimait ça. Marcia était drôle et son rire, celui d'une adolescente. Je promis à mon amour de Saint-Jean de revenir la voir quand je redescendrais des Andes. J'avais loué une voiture et, la veille de mon départ, je l'ai raccompagnée.

— Je commençais à m'habituer à toi, tu sais, t'es gentil, tu ne te moques pas et même si tu pourrais être mon père, t'es encore pas trop mal.

J'ai ri de sa franchise.

— Pourquoi tu veux pas ?

— Je ne sais pas, Marcia, je n'aime pas les hommes.

— Tu n'y as jamais goûté. Juste ? Elle me regarda, puis se tourna de profil. Tu crois vraiment que je suis un homme ?

Une larme coulait.

— Non, tu es une très jolie femme et tu le sais.

— Alors, tu vois !

Elle se pencha vers moi et posa un baiser sur le coin de ma bouche. Je lui pris la tête et l'embrassai vraiment.

## 14

Diego m'attendait, il avait hâte de me voir, moi aussi. Marcia m'avait parlé de La Tirana, un village du désert où elle allait en pèlerinage. Avec un petit détour, c'était sur ma route. J'étais arrivé le soir avec une brume violette et malgré la beauté j'avais froid. Jour brûlant, nuit glaciale. Rien ne laissait imaginer la folie du carnaval, les costumes, les masques somptueux, les danses frénétiques, païennes et chrétiennes, qui devaient envahir les rues de La Tirana. Chaque année, en juillet, Marcia venait avec ses amies pour prier. Prier pour être femme et avoir l'argent nécessaire pour l'opération. Prier La Tirana et tous les saints, brûler des cierges, se donner la main pour invoquer Jésus, rendre grâce et revenir plus courageuse encore avec une vierge en souvenir et des petits masques de diable. Elles faisaient chaque fois ce pèlerinage et le long chemin de la Croix de mai à l'autel, sur la place de La Tirana. Elle s'habillait en homme avec son maquillage de femme et elle se traînait sur les genoux et sur les coudes en disant des chapelets d'*Ave Maria*, de *Notre Père*, des murmures inavouables et des prières muettes jusqu'à l'église où des âmes charitables les soutenaient pour assister aux messes.

Tous les homos faisaient cela avec beaucoup de courage. Aux insultes et aux rires des hétéros, ils répondaient par des clins d'œil, des langues passées sur les lèvres qui leur faisaient bouffer la sueur et la poussière. C'était leur fierté de voir les hommes, les mâles, pleurer de douleur, les genoux et les coudes en sang, alors que les folles, les *maricones*, avançaient sans une plainte sur le chemin de la *Cruz de mayo*, sous le regard admiratif des femmes qui se précipitaient pour enlever pierres et débris devant ceux qui se mortifiaient. Elles dormaient dans des tentes au milieu d'une multitude de toiles de couleur plantées dans le désert tout autour du village, trop petit pour accueillir la foule. On reconnaissait les abris des pédés parce qu'ils vendaient des eaux de Cologne pour homme, frelatées bien entendu. Ils récupéraient des parfums que leur offraient les marins de passage à Arica ou les petites bouteilles des chambres d'hôtel quand le client avait les moyens et avec ça fabriquaient des quantités de flacons bon marché à vendre sur le campement. Le rapport des ventes ne valait pas la passe, mais la vente amenait souvent à la passe.

Revenues du chemin de la Croix de mai, leurs plaies pansées, elles continuaient à travailler sans relâche. La demande était forte et Marcia garnissait sa tirelire avec les pesos de l'amour. Il y avait des nuits de ferveur où les hommes auraient baisé des chèvres. Marcia, c'était de l'or. Il y avait une soirée consacrée à la détente, pour le seul plaisir d'être une femme comme toutes les autres, sans la bestialité des hommes, même si elle payait bien. Ce soir-là, Marcia et ses meilleures copines s'habillaient pour "sortir". Elles allaient au bal des *kullacas*, le bal des sœurs où aucun homme n'était admis. Il fallait du temps pour le maquillage, la coiffure et la robe. Le campement n'était pas confortable et il était difficile de se concentrer sous les quolibets de certains et le harcèlement des autres, et le secret devait être préservé.

Le bal des sœurs était consacré à une danse très ancienne, probablement païenne, perpétuée par les bergères en costume traditionnel avec des rubans multicolores, des chapelets de graines rouges en épis et des cuillères en argent sur la poitrine. Marcia et ses compagnes avaient réussi à se procurer des jupes de tissage atacamène qu'elles avaient rafistolées avec tous les accessoires, bien modestes, qui surchargeaient le tout. La tâche était délicate pour que personne ne les voie se vêtir et surtout ne soupçonne des hommes sous les robes. Elles allaient donc manger une soupe dans la *cantina* la plus proche avec le costume dans un sac de plastique. Elles se changeaient dans les toilettes de la cour, peu ragoûtantes en ces jours mais discrètes, et filaient par derrière. De là, elles rejoignaient le lieu des plaisirs pour jouer à la bergère et danser autour d'un bâton que les femmes tenaient ensemble, "comme une grande queue", m'avait dit Marcia.

C'était une danse très sensuelle, qui, à l'exemple de celles des Saint-Louisiennes du Sénégal, était extrêmement suggestive. Le peu de lumière facilitait la supercherie, et le bonheur de Marcia d'être femme au milieu des femmes la rendait encore plus belle. Quelques femelles un peu rudes, au système pileux développé que certains hommes auraient envié, grimaçaient de jalousie. Marcia et ses copines jubilaient d'être les plus belles bergères d'Atacama. Seuls trois hommes, des musiciens – un tambour grave et deux flûtes très aiguës –, étaient tolérés, néanmoins sans risque puisque depuis longtemps le groupe attitré des *kullacas* était composé de deux jumeaux aveugles, qui accompagnaient un vieux tambour manchot à la mâchoire brisée. Leur prestation terminée, les deux frères accrochaient une épaule du vieux et le trio disparaissait dans la nuit.

J'ai laissé La Tirana sans vie. Je me promettais de revenir un jour voir ce que Marcia avait vécu. Il y avait un bistrot ouvert sur la place, des murs peints, dont un avec des montagnes, celles que l'on pouvait voir au loin par-dessus les toits du village et où vivait Diego. Sur une petite épicerie, on avait badigeonné une danseuse et une grande bouteille de Coca-Cola. Toutes les réclames étaient de grandes fresques murales très gaies. J'avais sans mal trouvé une chambre, dîné sans appétit dans une *cantina* et dormi sans sommeil. La propriétaire était fière de ses photos de famille, un père ouvrier à la mine d'Humberstone qui jouait dans un orchestre de jazz. Le petit village minier du désert avait une église, un théâtre, une école. Après la fermeture de l'usine ils étaient tous venus à La Tirana. Les petits jardins s'étaient desséchés, la poussière d'Atacama avait reconquis son royaume et le village n'était plus qu'une cité fantôme qui faisait le bonheur des touristes et du cinématographe.

J'étais sorti de la pension au petit matin après un *café con leche* qui avait goût de sable. J'avais quitté Marcia sans un numéro de téléphone, sans autre adresse que son cabaret minable, et je l'imaginais ici, le soir, dans l'effervescence de la fête, parmi les masques monstrueux, la beauté des costumes, les transes et parfois la sauvagerie animale. J'aurais voulu filmer tout ça, les torches, les pétards, l'alcool dans les regards, la foi des humbles prosternés en sanglots sur des crucifix électriques, les croyances païennes avec les gestes puisant la cendre pour protéger les corps perdus des fumées hallucinogènes. J'aurais pillé des visages en extase, la naïveté des vierges, les tabous abolis et la jouissance des saintes, en secousses sans fin. Les hommes qui entraient dans la tente de Marcia en sortaient égarés, vidés, muets, saisis comme par une apparition.

J'aime les aubes et j'attaquais le grand *salar* d'Atacama avant que le soleil ne se lève sur les volcans de la chaîne andine. Antón conduisait. J'ai vu, comme dans les westerns de John Ford, des baraques en planches, des portes battues par le vent, un vieux et sa vieille, à l'ombre d'une tôle, assis sur des caisses, qui regardaient une poule picorer des miettes. Sourires sans dents, mais sourires tout de même. Ils étaient hors la route, hors la vie, enfin la nôtre. Je ne comprenais rien. Comment imaginer une vie possible ici sans terres à cultiver, sans eau que des bidons, sans vie que la poussière et les souvenirs? Je me suis arrêté pour filmer, piller ce qui restait de l'histoire de ces vieux, des bouts d'histoire, des fragments dispersés. La tôle pleurait sur l'ombre et l'une d'elles pendait comme une guillotine. Eux ne comprenaient rien à mon intérêt passionné pour leur misère. Ils m'ont offert un café.

Je suis allé pisser derrière dans des chiottes ajourées d'où l'on pouvait voir le désert et la route à l'infini du regard, d'est en ouest, sur laquelle passait de rares bagnoles, des Falcon fatiguées, des camions comme de gros insectes noirs dans le contre-jour. Il y avait une carcasse de voiture calcinée avec une pancarte "Attention à la dame blanche". Le squelette rouillé d'un scooter était posé comme une œuvre d'art sur une petite butte de sable. "A mon fils." En me retournant j'ai vu une fenêtre, un cadre de bois bancal avec un rideau de tulle déchiré soulevé par un vent curieux. Le voile indiscret découvrait par instants un grand lit avec une courtepointe à fleurs aux couleurs passées, des roses improbables en ce pays, des roses éteintes. Il y avait une vierge en plastique polychrome, un chapeau, une robe noire, un miroir cassé avec une vieille brosse à cheveux douteuse. Un christ était cloué de travers au-dessus d'une commode qui avait une patte cassée. Une boîte de conserve calait l'ensemble.

J'ai longuement regardé le seul cadre de cette drôle de chambre, un cliché en noir et blanc sur lequel posait un couple de jeunes mariés. Un costume pour lui, une robe blanche et des voiles pour elle. Ils étaient sérieux, raides devant un balcon de pierre Renaissance peint sur une toile. Cette photo était la promesse d'un avenir insoupçonnable. Ces gens avaient échoué là au bout d'une vie que je ne connaîtrais jamais et dont je brûlais de filmer l'épilogue pour inventer l'histoire qui précédait.

J'ai dévoré avec une belle voracité les mauves des premiers contreforts, haché des troupeaux et déchiré des vagues de laine poussées par des bergères en costume. J'imaginais Marcia dans sa robe de bal des *kullacas* et je me réjouissais de raconter tout cela à Diego. Je n'ai rien dit sur Antón, mon guide que je traînais depuis Arica, homme taciturne qui s'arrêtait à tous les calvaires, se signait devant chaque église et baisait fiévreusement la petite croix qui se balançait infiniment au bout d'un chapelet passé au cou du rétroviseur. Antón était croyant… Compagnonnage éprouvant qui ne cesserait qu'une fois arrivé là-haut, à Irina. J'avais beaucoup prié pour que nous ne rencontrions ni église ni calvaire dans les innombrables virages qui nous attendaient, mais les précipices, le vide, les éboulements provoquèrent chez Antón une panique sudatoire qui le jetait une fois en arrière avec un "Je vous salue Marie pleine de grâce" et une fois en avant pour baiser la croix qu'il tentait d'attraper comme la queue du Mickey à la foire et qui lui échappait tant elle gigotait. L'état pitoyable de la piste ne lui facilitait pas la tâche. Au bout d'une heure de ce cirque, pris d'un accès de folie, j'arrachai le chapelet et la croix facétieuse pour les lui jeter sur les genoux. Il se figea, comme saisi par une douche froide, pila dans un nuage de poussière et pressa l'objet sacré contre son cœur en murmurant *gracias*. Je lui confisquais le volant et nous avons achevé le voyage en relative sécurité.

J'avais récupéré mon regard d'enfant et je m'émerveillais de tout. Après une danse qui semblait être sans fin, il y eut une vallée d'altitude et quelques maisons: Irina. J'étais dans les langes de mon ami, son pays, ses chants. J'étais fasciné par la nudité, l'isolement au milieu des volcans, la poussière comme des valses. Le bleu était posé d'un trait sur les toits. Il y avait ce silence comme un mur, cette paix aussi, une paix à devenir fou. Le vent jouait aux quatre coins et je me demandais comment le citadin Diego, amoureux des salles enfumées, des petites scènes de lumière, qui aimait marcher le long des quais, poser son cul sur le pont des Arts, qui avait aimé Paris plus que Santiago, pouvait vivre ici dans un nombril de pierres. Moi qui aimais les déserts, avec l'infini des robes minérales, je savais impossible ma retraite en cette austérité. Je regardais, soudain épuisé, cette beauté mortelle. Je ne voyais que des Indiens reclus, taciturnes, des gestes d'un autre âge. Pourtant, quelque chose accrochait le ventre et vous sommait d'ouvrir les bras au soleil. Il faut être soudain poreux pour aimer. La terre se donne. Si elle repousse, c'est qu'on a fermé quelque chose en soi.

J'ai voulu pousser jusqu'à un col, à pied, seul et j'ai vu là-bas très au large la grand forêt. Du sommet des Andes où j'étais je ne voyais rien bouger, rien de cette Amazonie trop lointaine où j'avais emmené Michel.

Diego enseignait la musique dans une école et étudiait la tradition orale. Il voulait aussi améliorer l'agriculture en altitude, qui n'avait jamais progressé. Mon ami avait encore la foi. Cette terre est un chromo contrasté qui déborde de larmes chaudes, me disait-il. Ici, il n'est d'ombre que celle de l'oiseau, d'empreinte que celle du vent. L'histoire des hommes est écrite sous la lave. Diego a gardé la gueule de ses ancêtres, broyés par des dieux impatients. Il aime les étoiles de sel sur le rouge braise. Son cœur est ainsi, de neige et de feu avec des coulées d'or sur ses blessures, comme les sommets andins.

Je suis resté plus d'un mois avec mon copain à quatre mille mètres d'altitude. Il m'avait accueilli sur le seuil de la petite école comme si j'étais un naufragé. Je le fus trois jours, couché avec le *soroche*, comme prévu. Et puis, un matin, toujours comme prévu, je me suis senti léger et nous avons marché sur le dos des Andes, au bord des lacs et des volcans à raconter des histoires. Moi, celle de Marcia qui m'obsédait un peu et lui, celles des Indiens Aymaras nés du lac Chungará. Ils viennent des eaux profondes d'un volcan assoupi et nous, les gringos, les blancs, de la mer. Il faut croire les légendes, elles seules racontent l'histoire des hommes, c'est ainsi. Le vent, sur les cols, souffle des pages que les Indiens rapportent avec beaucoup d'humour et d'ironie. C'est avec un feu entre deux pierres que l'on murmure les passages de la bible aymara. La Niusta, une princesse inca, se baignait chaque matin, en secret, dans une fontaine de jouvence. Forcément, une princesse éternellement jeune consomme un certain nombre de maris. Elle en eut vingt et un. Le vingt et unième, plus malin que les autres, ne voulant d'aucune manière précéder le vingt-deuxième, la suivit, découvrit la fontaine et s'y trempa. La Niusta, folle de rage, chauffa l'eau et le mari fut bouilli. Moralité, la femme est éternelle, surtout les princesses.

J'ai filmé les matins bleus de la frontière bolivienne, là-haut à quatre mille mètres, des matins absolument purs, sans faille, sans une trace, pas même un voile de céruse oublié par le peintre. J'imaginais Che Guevara, sa moto à l'arrêt, assis sur le cuir à se frotter les mains dans la froidure en regardant ce que je voyais. C'est ce ciel qui a dû fasciner Pedro de Valdivia, en 1540, pour se brûler les yeux au passage des neiges, dans la tourmente du *soroche*. Quelle fièvre nourrissait sa folie et quelle conquête allait-il faire dans le désert d'Atacama avec une poignée d'hommes et des chevaux épuisés, une écume de sel sur l'encolure ? Tout brûle ici, l'eau des rivières bouillonne et il n'y a, dans la nuit australe, que ce grand filet d'étoiles dans lequel le conquistador s'est laissé prendre. J'aurais bien aimé voir le Che sur sa pétoire rencontrant Valdivia sur sa carne. Qu'est-ce que tu vas chercher, Pedro ? Et toi, *amigo* ? Fin du dialogue, et ils seraient repartis, l'un vers le sud avec l'épée sur la croix et l'autre vers le nord avec son carnet de bord et ses rêves. Moi aussi, je voulais soulever la poussière du désert, comme ça, pour voir, et ça m'a plu. C'est en ces moments de grâce que me revenait ce désir d'enfance d'écrire au monde.

Diego doutait de sa "mission" au service d'un peuple qui n'était plus tout à fait le sien, un peuple qui l'avait accueilli comme un lointain parent. Il s'était heurté au silence, aux questions que l'on pose à l'étranger. Il croisait des sourires barrés par l'absence. Il était le messager d'une connaissance inutile ici. Il se sentait de cette terre et aujourd'hui dans une poussière de racines qu'il avait coupées il y avait trop longtemps. C'est la faute de la dictature. Bien sûr, qu'est-ce que tu croyais ? Il aurait fallu être un martyr, un héros mort. Tu es un héros vivant, méconnu, ça n'intéresse pas leur jeunesse. Il faudrait être vedette à la télé. On te regarderait sur le poste de la *cantina* et on te saluerait avec respect. Tu n'es plus d'ici, donc pas d'ici. Tu veux leur apprendre quoi ? A vivre mieux, à lutter avec les mêmes armes que ceux d'en bas ? Ils sont toujours là avec leurs gros cœurs d'altitude et ne veulent pas descendre boire l'alcool et la mer. Tu m'as avoué que tu ne savais plus, mais qu'il fallait choisir entre humanisme et idéologie, et que ton idéologie s'étiolait. Tu crois en ce que tu fais, mais tu le fais trop tard. Ton exil t'a muselé. Si tu étais resté, tu serais mort, inutile, tu as fui et tu n'as pas ta place. C'est difficile pour toi, Diego, mais tu t'accroches encore un peu, parce que tu y crois, qu'il y a des matins uniques, des hivers impossibles, et l'institutrice qui devenait folle.

Tu avais connu la dissidence en ce lieu, l'isolement déjà, et rien finalement ne changeait hors l'affection amoureuse que tu portais à cette femme. Tu l'as aidée, parce que tu savais ce qu'était l'exil et qu'elle était là en exil. Tu aimes l'impossible et rien ne s'harmonise jamais, excepté la musique et la poésie. Cette femme était venue ici pour fuir tout ce qui lui rappelait l'homme qu'elle venait de perdre. C'était un bel amour, un bonheur sans faille jusqu'à ce jour où elle avait ouvert la porte avec gaîté. Une femme attendait, le visage compassé qui annonçait déjà l'irrémédiable. Les mots vinrent l'achever. Magdalena avait essayé de disparaître, elle aussi. Un ami lui avait proposé d'être utile dans son domaine, de demander un poste dans un village isolé. Elle demanda au hasard. Ce fut facile, personne ne souhaite une vie comme celle-ci, excepté si vous êtes né là, si vous détestez la ville, les boutiques, les marchés, la mer, le cinéma, le théâtre, les restaurants, les amis, les anniversaires, les rires et le carnaval.

Diego aimait une femme dont le jardin était celui dans lequel elle marchait avec l'autre, une femme qui était l'amour d'un autre, d'un fantôme. Il l'avait consolée de ses nuits sans sommeil, et attendu qu'elle dise oui.

Un jour, elle le lui avait dit. C'était un merci à sa tendresse, son amour, un merci un peu las? une sorte d'abandon à son dévouement. Elle avait fini par baisser la garde, vaincue. Pouvait-on aimer cette femme-là? Diego le pouvait parce qu'elle était cette femme, ce cou, ces yeux posés quelque part, ailleurs, à regarder l'autre. Elle était magnifique dans sa douleur. Sa grâce le bouleversait. Il l'aimait et elle acceptait cette passion comme un garde-fou pour ne pas sombrer, comme une épaule, comme un lit profond où elle se reposait enfin. Il allait vivre avec cette femme-là. Il l'aimerait ainsi.

Un jour, dans une étreinte, elle avait dit le nom de l'autre et il l'avait béni parce qu'elle s'était confondue en baisers pour se faire pardonner. Elle l'avait embrassé, comme elle aurait embrassé l'autre, en mélangeant leurs larmes et la souffrance. Elle murmurait indéfiniment "Je t'aime" en lui prenant la tête comme une petite fille celle de sa poupée. Jo avait raison, m'a-t-il dit, je n'aime que les amours cloches. J'avais ri. Nous laissâmes un long silence cimenter notre complicité et il me serra dans ses bras. Avant de redescendre vers le Pacifique nous avons beaucoup parlé de Michel, surtout moi. J'avais apporté quelques pages de son carnet, et Diego l'Indien aymara en ferait peut-être une chanson. Ça nous plairait bien, à tous les trois, que Babo reste une chanson.

## 15

J'ai laissé mon ami dans son école à ruminer un retour vers Santiago avec Magdalena. Il abandonnerait lâchement la réforme agraire et retrouverait un studio d'enregistrement avec le bonheur suprême d'une scène. Je voulais que Diego soit heureux, je le voulais parce qu'il était mon ami.

Je suis parti comme il se doit en ce pays, avant le chant du coq, pour surprendre la terre aux premiers feux.

Diego m'avait parlé d'une gare en Atacama, Santa Negra sur l'ancienne ligne qui traversait les Andes, et de l'histoire de son oncle qui avait été le chef de cette gare, cloué dans une cabane au bord des rails brûlants, avec un chien jaune boiteux, une chèvre famélique et un âne pelé. Juan était vierge, à ce qu'on disait. Il avait trente-cinq ans. Il avait fui la ville, sa mère surtout, et la bigoterie. Il n'aimait pas ce Dieu des colères, ce Dieu des dogmes et des lois, celui qui punit, châtie, refuse la désobéissance. Celui qui crie œil pour œil ou fait lancer des pierres sur la passion, qui lapide, brûle les amoureuses, sacrifie les enfants. Il n'aimait pas ce Dieu au doigt levé, ce Dieu de la peur des hommes qui promet son paradis à lui, qui aime leur souffrance, leur dévotion et décide du pardon. Non, il aimait ce Dieu des lumières, de l'amour sans condition, ce Dieu de paix, ce Dieu sans domaine autre que celui du cœur des hommes, autre paradis que la paix intérieure. Il aimait cet éblouissement proposé dans lequel il baignait parfois, loin des rumeurs citadines et des acidités querelleuses.

Juan était grand, beau, timide, un peu mou, et adorait faire la cuisine. Il jouait sur le piano du salon des boléros de Lucho Gatica et plus péniblement encore des valses de Chopin devant les amies de sa mère. Cette dernière, ivre d'admiration, redemandait des bis que l'auditoire devait écouter et apprécier jusqu'au bout. Il lisait les magazines dans lesquels il aimait les beaux costumes et les femmes élégantes. Il avait peur de celles qui l'abordaient dans la rue, qui le regardaient avec envie, celles qui ne le regardaient pas, et même des dames qui allaient à l'église. Juan vivait un enfer quand l'une d'elles s'adressait à lui ou que ses yeux se posaient sur sa silhouette. Les femmes l'effrayaient, tout simplement. Le puceau reconnu vivait dans la cité une solitude qu'aucun ami ne venait combler et qui donnait à sa mère un pouvoir et une joie dévastateurs. Il lui fallut du temps pour saisir l'ampleur des dégâts et fuir la dictature matriarcale. Juan, grand émotif, aimait les petits plats mijotés et la lecture des grands poèmes épiques. Il lisait aussi les ouvrages sur les inventions, la vie des grands hommes et surtout celle de Darwin dont il relisait avec application *L'Origine des espèces*. Mais son ouvrage de chevet restait *Martin Rivas* d'Alberto Blest.

Dans sa petite gare en Atacama, Juan, outre ses activités de bricolage, de cuisinier hors pair dont il était le seul à apprécier les fumets, gardait la citerne, unique raison de ce poste en plein désert pour alimenter la chaudière de la locomotive et accessoirement celle d'un arrêt pour commodités. Il lui restait du temps, beaucoup de temps pour jouir de son isolement loin des hommes et des moqueries, de la concupiscence des femmes et des humiliations. Le vampirisme maternel, avoua-t-il beaucoup plus tard, allait jusqu'à le déshabiller elle-même et à le fourbir vigoureusement sous la douche, ce qu'elle faisait depuis qu'il était petit. Il eut ses premières érections avec elle et les suivantes quand il fut plus grand et plus vigoureux. Elle souriait, admirative devant la verge de son grand bébé adoré, la frottait jusqu'à éclosion en murmurant qu'il fallait que le péché sorte et que cela faisait du bien. Juan trouvait effectivement du plaisir à éjaculer le péché et il ne manquait pas de recommencer l'opération seul, dans son lit, ou de préférence dans les toilettes en pensant que le péché ne méritait pas autre chose.

Il est un temps pour tout et Juan finit par douter de la véracité des affirmations de sa maman. Il se confessa un jour au prêtre qui écuma de rage derrière le rideau. Il reconnut la voix de Juan et le somma de cesser les douches avec sa mère, qui n'étaient, depuis fort longtemps, plus de son âge, et que l'acte dont il parlait était un péché mortel. Il lui pardonna son ingénuité ainsi que Dieu le ferait, mais cracha qu'il en irait tout autrement pour sa mère. Il sortit du confessionnal en fureur, ce qui surprit grandement Juan qui avait pour ce prêtre une réelle affection. L'homme, qui était doux et tolérant, se montrait très attentionné à son égard quand il venait à la maison. Il fut encore plus troublé quand il entendit celui-ci derrière la porte de la sacristie proférer des insultes envers sa mère. Il prononça nettement, Juan le jura plus tard : "Salope, me faire ça avec son propre fils!" A cette époque et compte tenu de sa naïveté, il ne saisit pas le sens de ces paroles.

L'étouffement, malgré tout, prit le dessus et pour respirer il prit ce poste fou où il vécut libéré des mains de sa mère et du regard des autres. Il put enfin se débarrasser de ses peurs et fourbir son arme sans autre intention que le plaisir solitaire. La lecture tout de même restait son activité principale et il commandait régulièrement des ouvrages à Antofagasta par l'intermédiaire d'Octavio, le contrôleur du train dont la nièce travaillait à la librairie de la plaza Colón. Juan accueillait les voyageurs avec des bidons d'eau pour se laver le visage. Il vendait en saison des figues de barbarie qui poussaient derrière la citerne et même, ce qui surprenait les gens, des tomates bien fermes qu'il cultivait amoureusement dans un petit potager. Il avait fait amener des sacs de terre qu'il avait mélangée à celle du désert, arrosé matin et soir les semences précieusement conservées, et Dieu, le bon, celui de la compassion et de la tolérance, avait béni ce jardin minuscule.

Un jour que le train repartait, une femme a surgi des "toilettes" en hurlant de désespoir. Le convoi qui s'éloignait avec un souffle noir n'avait pas l'intention de s'arrêter et il ne repasserait que dans un mois, un jeudi comme celui-ci. Elle y resta cinq ans. C'est ainsi que Juan connut l'amour, là-bas à Santa Negra.

Ana, le train disparu, s'était retournée, hagarde, vers la gare où Juan, pétrifié, les bras le long du corps, semblait scellé dans le sol, statufié. Elle avait hurlé, couru le long de la voie comme une folle, puis muette devant l'impossible, elle s'était figée au bord des rails, enveloppée d'une auréole de poussière, comme une madone. Juan avait cru une seconde à une apparition, sa mère le lui aurait confirmé. Le soleil l'avait ébloui un instant et le vent rassasié de mystère avait reposé le voile de lumière aux pieds de la dame qui était comme nue dans sa robe de drap gris, son chapeau à la main, une mèche de cheveux morte sur son front comme une blessure. Juan avait déjà vu la dame blanche du désert, celle qui trouble les camionneurs la nuit quand ils s'endorment au volant, qui se dénude de ses voiles et attire le solitaire jusqu'à sa perdition dans l'immensité stérile. Il devait être midi, la chaleur était terrible. Le chien, en rien ému par la situation, dormait dans un pneu. Elle fixait la statue de Juan et ils restèrent ainsi un temps qui leur parut infini. C'est lui qui, d'une petite voix de chef de gare débutant, lui demanda de se couvrir pour éviter le mal.

Elle regarda une nouvelle fois ce désert qu'elle haïssait déjà, insupportable de platitude jusqu'aux lointains contreforts des Andes où devait serpenter en soufflant la locomotive noire. Elle l'avait vu jusqu'à épuisement du regard que les larmes avaient voilé. Une tempête de sable s'était engouffrée dans sa tête, un tourbillon d'images avec La Paz qui dansait à l'autre bout de la ligne où on l'attendait. Ses bagages étaient restés sagement sur la banquette de bois, sa toilette, ses petites choses essentielles, comme un peigne, ses mouchoirs, son petit flacon de liqueur de menthe pour les nausées, le petit miroir de sa sœur, son cahier où elle notait tout, les adresses, les noms, des prières. Ah! Mon Dieu, sa bible, son missel et son gros chapelet. Que le Seigneur soit loué, elle avait celui de perles noires autour du cou. Elle n'avait rien pour se changer, c'était affreux. Elle fixait Juan et la ridicule petite gare en planches, un taudis, une baraque des quartiers populaires qui était son avenir immédiat. Seigneur, n'abandonnez pas votre esclave, cria-t-elle soudain.

Juan, après cette phrase d'une précaution essentielle, avait fini par déboulonner sa statue et commençait à réfléchir, mais à quoi? Il y avait une ribambelle de conséquences à cet événement fâcheux. Ses pensées, comme des papillons affolés, ne parvenaient pas à se poser et tout se brouillait avec la sueur qui perlait abondamment sur son cou. Il devait aussi transpirer du cerveau pour avoir l'impression d'être une bouilloire. Le calme revint cependant quand il prit conscience de sa responsabilité et de la tâche qui lui incombait. Hors sa frayeur d'être en présence d'une femme dont il fallait qu'il s'occupe, il se devait de trouver une solution, un consensus. Qu'allait-il faire de *ça*, cette femme sans bagages, cette tête de moineau qui avait dû s'assoupir au petit coin, pourtant peu ragoûtant pour cet exercice ? Le camion-citerne qui parvenait péniblement jusqu'ici était venu il y a seulement deux jours avant le passage du train et il ne reviendrait que dans trois mois.

Il n'y avait nulle part où aller que ce désert et loin très loin là-bas était un loin inatteignable même pour un homme-chameau. L'âne et la carriole qu'il possédait ne servaient qu'à la surveillance des voies proches, d'un pont franchissant un petit ravin, et à s'assurer que les possibles éboulements de roches sur les rails en feu n'avaient pas endommagé ces derniers. Un an auparavant, à un jour de marche, il avait poussé Grison à l'emmener voir un ancien lac de sel qui proposait des mirages de villes blanches, avec de grands arbres en suspension, mais l'âne avait failli crever et ils étaient revenus tous les deux épuisés. Bref, on ne pourrait amener la dame nulle part que sous la marquise de Santa Negra. Il faudrait des jours pour atteindre un hypothétique village, attendre un hypothétique camion qui prendrait une direction hasardeuse, qui avait peu de chances d'être la bonne. Jamais il n'enverrait à la mort une femme, même écervelée, qui avait déjà tout perdu et qui devait être dans un désespoir sans fond.

L'air était épais, chargé d'une multitude de points d'interrogation auxquels il faudrait répondre. Elle revenait titubante comme un scarabée blessé, assommée par l'évidence, blanche, avec le poids d'une solitude immense. Elle était elle-même le vide, un abîme sans fin. Il n'y avait plus de larmes pour ça. Dieu n'avait plus qu'à la reprendre. Juan avait fui la mère, la religion et les femmes, et voilà qu'il allait devoir prendre soin d'une dame inconnue, perdue dans ce désert et qui se sentait plus nue que n'importe quelle Ève. Elle s'assit, ou plutôt se laissa choir, anéantie, à l'ombre de la marquise sur un banc de bois lustré par les innombrables culs des voyageurs qui l'avaient précédée. Juan regardait fixement les bottines poussiéreuses de la dame et le bord gris de sa robe grise. Un coquet ruban gris soulignait la sévérité du reste. Si Juan avait osé monter plus haut, il aurait alors deviné un corsage blanc sale, caché soigneusement sous l'uniformité du gris, avec une petite dentelle qui s'échappait entre deux boutons. Mais il était absent, dénué de toute pensée, puisqu'il n'avait trouvé aucune solution. Il ne voyait aucun avenir à cette situation qui lui embrouillait l'esprit.

Juan, donc, restait obstinément absorbé par le néant. La dame ne bougeait qu'une main qui tripotait mécaniquement le nœud de sa ceinture grise. Cela dura une éternité puisque l'ombre de la gare qui, à l'heure de midi, se réduisait au carré même du bâtiment, s'était à présent considérablement allongée côté est. Le soleil qui s'était glissé sous la marquise léchait la dame jusqu'à la ceinture. Juan s'ébroua, revint à la réalité et se déplaça. Les planches se plaignirent de son poids et la dame trembla. Il alla chercher un verre d'eau qu'il lava consciencieusement avant de le remplir et vint l'offrir à son hôte. Elle accepta en bredouillant un probable merci, examina la propreté du récipient et but. Il la regarda comme un animal étrange. Elle avait un petit nez retroussé, des pommettes hautes et saillantes, de petits yeux noirs et toujours cette mèche morte sur son front. Il remarqua pendant qu'elle buvait des petites lèvres, un petit menton sur un petit cou. Tout était petit mais sans laideur. Elle demanda tout de même d'une voix de gamine désespérée :

– Il revient quand, le train ?

Juan, pétrifié, ne répondit pas. Il était en face de l'inimaginable. Il murmura qu'il allait tenter d'appeler Antofagasta et La Paz pour signaler sa présence mais la ligne était souvent coupée ou défectueuse et l'on arrivait difficilement à communiquer. Il revient quand ? Juan avait disparu dans son "bureau" de chef pour actionner vigoureusement la manivelle du téléphone. A partir de là, elle ne mangea pas pendant six jours malgré les efforts du chef de gare. La Paz avait fini par répondre que les bagages de la dame avaient été retrouvés et qu'ils repartiraient avec le prochain train, à la fin du mois. Il lui avait cédé sa chambre après un ménage minutieux et mis tout ce qu'il possédait à sa disposition, c'est-à-dire très peu de choses. Elle s'y était réfugiée, sans plus en sortir que pour aller dans le lieu qui fut à l'origine de son désespoir.

Juan utilisa le réduit qui était son bureau comme sa nouvelle chambre. Il cuisinait pour deux et mangeait pour deux puisqu'elle refusait toute nourriture, priait abondamment, gémissait et sanglotait bizarrement en couinant comme une souris. Lui jardinait, bricolait, vérifiait, tenait le journal de bord avec une fébrilité inhabituelle. Il n'avait jamais été si préoccupé, à l'écoute de tout bruit, de toute manifestation qui pût l'alerter. Il craignait vivement que cette femme tombe malade et peut-être, "épargnez-moi cela, Seigneur", meure dans sa gare. Il n'osait imaginer les détails en conséquence. Sa tranquillité, sa paix en étaient affectées, mais il sentait confusément qu'un peu de vie était entrée à Santa Negra, une vie qu'il surveillait attentivement.

Juan chaque matin faisait frire du lard et des œufs, il faisait son pain, enfin une sorte de crêpe épaisse, croustillante, qui sentait bon et qu'il dévorait avec appétit et des soupirs de satisfaction. Il y ajoutait parfois une goutte de fleur d'oranger. A midi, il mettait des oignons à rissoler dans un peu d'huile, y ajoutait des tomates fraîches, des pommes de terre, un peu d'ail, des herbes aromatiques, du romarin, du persil, du cerfeuil, de la sauge parfois. Tout cela de son précieux petit potager. Juan avait une réserve de vin de Concha y Toro, dans un trou profond qui conservait la fraîcheur de la nuit. Il composait des *empanadas* de toutes sortes qu'il fourrait de légumes, de lard fumé. Son triomphe restait la *cazuela*, une sorte de soupe divine accommodée avec de la viande séchée. Il aurait pu ouvrir ici une merveilleuse et réputée *cantina*. Les camionneurs des citernes et les contrôleurs de passage en savaient quelque chose, le chien aussi. Sa réputation était faite à Antofagasta comme à La Paz, mais la mère de Juan, qui ne savait où avait disparu son rejeton, ne pouvait supposer que le cuisinier d'Atacama puisse être son fils. La gare était en permanence enveloppée d'appétissantes odeurs, de fumets délicieux, de parfums étourdissants échappés des plats mijotés avec tendresse. Juan avait son plan. Il fallait sauver cette femme qui n'avait avoué aucune identité, qu'il appelait madame, elle, ou l'autre, et qui dépérissait chaque jour. Il entendait couiner surtout quand il mangeait.

Un jour qu'elle ne revenait pas du lieu et qu'il préparait une poêlée de fèves dans un grésillement de porc fondu et des bouffées de thym, il entendit un martèlement. Il mit à feu doux et sortit pour voir l'autre à genoux se frapper la poitrine en psalmodiant "mea culpa, mea culpa, Seigneur pardonnez-moi car j'ai péché, j'ai beaucoup péché". Ils avaient échangé peu de mots et sa bonté à lui rivalisait avec sa piété à elle, mais la communication était lapidaire. Elle soliloquait en murmures et aux questions brèves et timides de Juan elle répondait oui ou non par des signes de tête. Il avait tendance à bégayer un peu tant la présence féminine lui faisait perdre ses moyens et elle baissait la tête comme une musulmane pour ne pas croiser le regard de l'homme. Il la regardait s'écorcher les genoux et quand elle tomba en prière, il eut l'audace ahurissante de lui dire que seul son Dieu avait péché en la laissant ici, qu'il l'avait abandonnée et qu'il ne servait à rien de le prier, aucun miracle ne pouvant arriver que par elle-même et pour cela il fallait qu'elle reste en vie. Elle le regarda pour la première fois et totalement. Juan était calme et doux. Elle était épuisée et répondit qu'elle avait faim, qu'elle désirait plus que tout ce pain au parfum d'oranger qui lui rappelait les dimanches et la fête des saints, que c'était une torture que ces odeurs de cuisine et qu'il était un monstre sans compassion de lui faire subir ce supplice. Elle avait fait un vœu, une promesse, après le départ du train, celle de jeûner jusqu'à sa délivrance et elle avait péché par gourmandise.

— Rien ne vous retient, vous n'êtes prisonnière de personne, surtout pas de moi. Vous vous êtes enfermée en vous-même. Elle le regarda stupidement. Si Dieu est bon, et je crois qu'il n'est que bon, il vous pardonnera ce péché-là, surtout celui-là, de rester en vie et d'aimer ce qu'il vous offre. Vous devez simplement vous nourrir, madame. Relevez-vous et venez partager ce repas.

Il parlait comme un prêtre, soudain, et s'en étonnait lui-même. Il n'avait pas dit autant de mots à la suite depuis une éternité. Elle refusa, obstinée, mais sa volonté faiblissait. Il profita de cet avantage pour lui dire qu'il était le maître ici, dans cette gare, tel un capitaine. Maître après Dieu certes, mais comme Dieu avait visiblement déserté ou fait en sorte de lui laisser la responsabilité de décider, il lui tonna comme il n'avait jamais tonné de sa vie qu'il ne la laisserait pas mourir sur cet îlot et qu'elle devrait partir si elle refusait définitivement d'avaler sa part. Le chien jaune claudiqua jusqu'à son pneu pour s'y réfugier, terrorisé. Juan montra théâtralement le désert et lui dit gravement :

— On ne meurt pas sur mon bateau sans avoir goûté ma cuisine, alors prenez vos cliques et vos claques et droit devant.

Malgré sa faiblesse, il fut dit qu'elle eut un sourire. Enfin, c'est elle qui plus tard, se confessant à sa famille et à la veille de mourir, avait raconté tout cela. Qui êtes-vous, madame, pour être si orgueilleuse ? avait-il hurlé de la cuisine. Elle était restée comme un pantin sans fils, ne sachant plus s'il fallait qu'elle se flagelle encore pour ce nouveau péché ou si cet homme n'avait pas un brin raison. Elle se frappa faiblement la poitrine, murmura des pardons, se leva et vint rejoindre Juan qui l'avait déjà servie. Elle avait si faim et tout cela était si bon qu'elle dévora. Il n'osa pas la prévenir qu'après son jeûne elle devrait manger peu et lentement. Elle fut malade, il la soigna. Puis il continua ce régime. Chaque jour que Dieu faisait encore voyait arriver sur la table de nouvelles petites recettes dont chacune rivalisait avec l'autre. L'imaginaire de Juan en matière culinaire dépassait l'entendement de la pécheresse. Elle lui dit son nom, Ana. Ils eurent le temps de se conter, de s'observer, de s'écouter. Elle reprit vie, des couleurs, un peu de gaîté sous l'austérité apparente et une autorité ménagère en tornade.

Elle arrangea la gare, c'est-à-dire rangea, aménagea, transforma et demanda à Juan de lui faire une croix et un autel sous la marquise. Ce qu'il fit avec des vieilles lattes de bois sur lesquelles il peignit un christ sommaire, mais très beau aux dires d'Ana avec une couronne d'épines de figues de Barbarie piquées sur le front blême. Il ajouta une lampe à huile, le tout sur un torchon qui avait été blanc encadré par des coquillages du désert que Juan collectionnait avec passion, preuve disait-il que la mer était là puisqu'il reconnut même un fossile décrit dans *L'Origine des espèces*. Elle priait régulièrement devant ce trésor religieux mais, absorbée par les tâches, elle raccourcissait l'exercice. Elle lavait ses dessous et gardait sa robe sous laquelle Juan ne pouvait imaginer qu'elle était nue. Il n'avait jamais vu une femme nue autrement qu'en peinture au musée ou en photographie noir et blanc. Il avait installé un coin toilette et une réserve d'eau suffisante pour qu'elle baigne certaines parties du corps dont il ne fut jamais question et pour lesquelles cependant la chose avait été pensée. Malgré sa maladresse il n'avait cessé d'être attentionné. On eût pu dire qu'ils étaient amis, ou plus exactement frère et sœur.

Un jour qu'elle regardait deux scarabées l'un sur l'autre, elle avait demandé ce qu'ils faisaient. Il avait bégayé avant de sortir péniblement qu'ils copulaient. Quelle horreur, avait-elle dit et lui s'était entendu répondre : je ne sais pas. Elle l'avait regardé bizarrement. Le train repasserait un jour et l'on pouvait comprendre le désarroi de Juan qui appréciait pour la première fois une présence féminine et la déception secrète d'Ana de ne plus se faire servir ainsi des péchés de gourmandise qui n'en étaient plus et, plus secrètement encore, de laisser l'odeur d'un homme qui l'avait sauvée.

Le jour où le train arriva, ils furent l'un et l'autre extrêmement nerveux. Tout allait de travers, même la cuisine fut médiocre alors qu'il voulait se surpasser. Elle avait cassé un verre, il n'en restait que deux, et elle déchira la chemise de Juan tant elle frottait brutalement. Il y eut des silences et même un couinement qu'il entendit nettement. Puis là-bas, tout là-bas, la fumée noire comme le deuil monta entre deux mamelons et la locomotive pris sa place dans le désert, suivie d'un chapelet de wagons. Ils restèrent immobiles devant cette séquence qui n'en finissait pas de faire arriver ce train. Ils n'osaient pas se regarder ni bouger. Tout était prêt, elle n'avait rien à emporter qu'un en-cas préparé par Juan et un livre de poésie qu'il lui avait offert. Elle, n'avait rien à lui donner et s'était simplement occupée de ranger son linge en silence. Le train avait stoppé dans un nuage de poussière, une opaque pluie d'escarbilles de charbon et des grincements à n'en plus finir. Le contrôleur sauta sur les planches avec des bagages qui étaient miraculeusement ceux d'Ana. Quel beau pays et quels braves gens, merci Seigneur ! Ces bagages sont les vôtres, madame ? Oui, monsieur. Il n'y eut aucune autre question, aucun commentaire de sa part, lui le responsable du convoi, pas même un "Je suis désolé de ne pas avoir vérifié si quelqu'un était aux toilettes", elle aurait été rouge de honte, mais cela aurait mieux valu que cette indifférence devant un fait divers somme toute peu banal et dont elle était l'héroïne.

Tout se déroulait comme si le train n'était jamais parti et que ces trente jours n'avaient pas existé. Elle regarda les gens descendre, marcher, s'agiter. On vint se renseigner auprès d'elle pour les commodités. On lui demanda si ce n'était pas trop dur de vivre ici, isolé au milieu de l'Atacama. Ces voyageurs ne savaient rien du drame d'Atacama. Personne à Salta ne s'était affolé de son absence. Nul prêtre de la mission évangélique ne l'avait réclamée. Aucun avis de recherche n'avait été lancé malgré le message que Juan avait transmis : "Femme blanche oubliée à Santa Negra, prévenir l'église évangéliste de Sainte-Agathe, nom : Ana Pavez." Elle se sentait perdue. On remplit les chaudières de l'eau de la citerne et deux heures plus tard le sifflet retentit suivi de la trompe à vapeur. Le départ était proche. Ana avait fait l'inventaire de ses affaires et il ne manquait qu'une petite broche qui s'était peut-être égarée. Elle donna sa bible à Juan. Il monta ses bagages dans le train, lui trouva une bonne place et redescendit. Elle alla aux toilettes pour vérifier qu'il n'y avait personne et n'en revint pas. Le contrôleur s'impatientait, Juan se décida à aller aux arrières frapper les planches qui servaient de porte. Il appela, demanda à Ana de se presser pour ne pas retarder le train. Aucun son ne lui parvint, pas même un couinement. Il se pencha légèrement et ne vit pas les bottines.

Il se releva inquiet, scruta le désert, cria sans échos et revint impuissant vers le contrôleur. Octavio, qui fumait une cigarette à l'ombre de la marquise, lui dit qu'il avait vu la dame monter dans le wagon et qu'il pouvait donner le signal du départ. Ce que fit Juan avec une boule dans la gorge. Elle a eu peur, pensa-t-il, ou honte. Il remonta jusqu'à la locomotive pour saluer les machinistes. C'était un prétexte pour tenter d'apercevoir Ana. Il avait son sifflet à la bouche et aucune note n'en sortait. Octavio, penché à la portière, se demandait ce que Juan pouvait bien fabriquer. Il avait bien une vague idée mais n'osait pas y penser. Lui, avec la dame de la mission, presque une bonne sœur, c'était trop énorme et personne ne le croirait. Un coup de sifflet anémique parvint au chef mécanicien, suivi d'un autre, lamentable, à bout de souffle, à peine perceptible, proche du sanglot, puis le sanglot lui-même. Les fenêtres sales défilaient avec des visages cramoisis et il vit des ombres qu'il crut mille fois être celle d'Ana. Il accrocha la poignée d'une porte au passage, courut quelques mètres pour tenter de sauter sur le marchepied sans y parvenir et finit par lâcher prise en s'écroulant sur le ballast.

Octavio n'en croyait pas ses yeux. Il hurla. Qu'est-ce que tu fous, Juan, tu veux la mort? Pas pour une bonne sœur, tout de même! Il se sentait ridicule, ce grand échalas, étendu comme une chiffe dans les épines et la terre blanche. Il était meurtri et surtout là, dans la poitrine, où ça cognait fort, là où il ne l'avait jamais été pour une femme, même sa mère. La loco cracha son encre. Un voile noir la recouvrit, monta comme une grande main devant le soleil et obscurcit un instant la terre. Il se releva péniblement, blême, et revint vers la gare, une gare sinistre, déjà fantôme, et qu'il allait devoir habiter encore un mois. Juan pansa ses plaies, sauf une. C'est alors qu'il regardait son visage dans le miroir brisé de la cuisine, un visage maculé de craie qui lui donnait l'air d'un clown, qu'il entendit un couinement. Il n'avait jamais connu pareil bonheur pour un couinement. Celui-ci était le plus beau, le plus merveilleux des couinements. Elle le soigna. Elle était allée récupérer ses bagages et avait attendu qu'Octavio soit occupé ailleurs pour revenir dans la chambre et s'y cacher. Tu comprends, Juan, ce train allait à Antofagasta et non à La Paz. J'ai pensé qu'il était préférable d'attendre son retour plutôt que de faire un pénible voyage inutile. J'avais encore du travail, ici.

Elle s'allongea près de lui et prit sa main. Ils ne firent pas l'amour pour trois raisons: la première, ils ne savaient pas ni l'un ni l'autre comment s'y prendre, la deuxième, il faisait trop chaud à cette heure pour entamer une gymnastique incertaine sans craindre le mal, et la troisième, en fait la seule valable pour ne pas se jeter dessus comme des animaux, était que hors mariage c'était un péché mortel. Ils n'étaient pas mariés et le péché, cette fois, n'échapperait pas à Dieu. Chacun se cacha pour des plaisirs solitaires et inavouables. Les prières redoublaient et ne faisaient qu'accroître le désir. Le calvaire dura, mais le quarante-cinquième jour Dieu recréa l'homme, la femme, l'arbre, la pomme, le serpent, tout quoi, comme au début. Ils furent vite nus et n'eurent pas à se poser de questions, l'alchimie fit son travail. Ils se bousculèrent, s'ouvrirent, se dévorèrent et enfin repus furent reconnaissants. Ils prièrent et demandèrent pardon. Le péché étant consommé, ils recommencèrent l'expérience pour mieux se connaître. Ils réunirent leurs mains sur la bible et remercièrent. Comble de joie, le train suivant apporta la paix avec un curé fraîchement ordonné qui allait prendre paroisse. Il les bénit. Octavio et le mécanicien furent happés comme témoin. Juan avait préparé un repas et les voyageurs sortirent leurs paniers pour se joindre à la noce. Le train repartit avec deux heures de retard mais ce fut une belle fête. Il y eut même l'accordéon du mécano avec la voix d'Octavio pour un tango qui disait *"para un amor loco en la pampa*, un amour du désert, des mains de poussière et l'or du soleil, je t'aimerai, malgré les pierres et les épines, je t'aimerai d'un amour sans partage"*.

Ce furent cinq années a Santa Negra pour les mariés de la pampa. Un jour, par le train du jeudi, ils accueillirent le remplaçant et le mois suivant s'installèrent avec leurs maigres bagages dans le wagon de première classe qu'Octavio, toujours là, leur avait réservé. La côte Pacifique ne les attendait pas, mais Juan avait accumulé cinq ans de solde, obtenu un poste à la gare d'Antofagasta, la plus belle gare du monde, et Ana organisait des fêtes de charité avec sa confrérie évangéliste.

Ce qui suit est le témoignage direct de Diego, il avait dix ans. Il prenait des cours de piano chez sa grand-tante qui possédait un demi-queue resté clos depuis le départ de Juan. Elle avait ouvert le clavier pour son neveu et Diego recevait les leçons d'un professeur dans la sombre salle à manger d'Augustina, bois ciré, velours brun et beaucoup d'images pieuses. Il y avait nombre de christs peints sur toile, tissus, affiches et porcelaine. Les rideaux étaient tirés, un chat brodé dormait sur le coussin du prie-Dieu au-dessus duquel veillait une sainte vierge en plâtre dans une guirlande électrique. La flamme du cierge qui brûlait pour l'âme du défunt mari et la lampe à huile dans la crèche étaient les seules choses qui paraissaient vivantes à Diego.

La crèche avait été confectionnée par Grisha, le père de Juan, d'origine russe, qui était mort subitement le jour de Noël, et jamais Augustina n'avait permis que l'on enlève ce petit chef-d'œuvre de fonctionnaire qui mettait en scène une nativité sous la neige, aujourd'hui un peu sale, avec des troïkas, des mages en bonnet de fourrure, une isba en rondins et des bouleaux peints en or. Ce chef-d'œuvre était la raison pour laquelle Diego supportait cet endroit avec une grand-tante plutôt sèche en tout point, autoritaire, un peu vipère et qui aurait parfaitement eu sa place dans la *conquista* espagnole.

Un après-midi de juillet, Diego peinait sur une sonate de Scarlatti quand on entendit la cloche de l'entrée. On pouvait voir à travers le couloir et la porte vitrée deux ombres. Trop heureux de cette distraction, il alla ouvrir à une dame qui ressemblait à une souris et reconnut vaguement son oncle, qui pouvait être le portrait sur le piano. Il salua et fit entrer la dame tandis que l'oncle restait en arrière. Ce dernier ne pouvait pas savoir qu'il était son neveu et ne le saurait jamais.

– Tu joues très bien, j'ai même reconnu une étude de Bach.

– De Scarlatti, monsieur.

– Alors, tu joues déjà comme le grand Juan Sebastián, bravo.

Il avait souri avec tendresse en jetant des coups d'œil inquiets vers l'intérieur. Quand Diego revint s'asseoir près de son professeur, la grand-tante, ayant entendu la cloche, voulut saluer ses visiteurs. Elle regarda Ana qui tentait un rictus en forme de sourire et aperçut soudain Juan, son fils, qui restait derrière la porte vitrée, en contre-jour, certes, mais terriblement reconnaissable pour sa mère. Il y eut un tremblement de terre, le piano vibra et les verres tintèrent. Augustina poussa un hurlement dément qui pétrifia tout ce qui bougeait :

– Qui est cette femme ?

Derrière la vitre, on entendit Juan répondre d'une voix grave que sa mère ne reconnut pas :

– C'est ma femme, maman.

Elle arracha sa croix et la brandit devant elle en crachant des imprécations dont Diego ne retint que Lucifer, voleuse, catin, suppôt de Satan, prédatrice, hors de ma maison. De l'autre main elle tenait des revues de la mission catholique, qu'elle agitait comme pour chasser les esprits. Elle avançait vers Ana, armée du crucifix, les yeux rouges, au bord d'étouffer, et ne s'arrêta qu'au moment où celle-ci, pâle de rage d'être ainsi reçue, dégagea de son corsage la croix d'ivoire de sa confrérie évangéliste et la pointa tel un glaive sur Augustina. Elles se firent face, sous les insultes, puis Ana couina dans un aigu insupportable qu'elle ne reverrait jamais son fils, déshérité de son cœur, car Juan lui appartenait maintenant à elle tout entier, qu'elle était une mère incestueuse et qu'elle la plaignait beaucoup de disparaître bientôt sans connaître l'amour. Dieu ne pardonnera pas, fut dit dans un dernier couinement, un contre-ut raté qui fit terriblement grimacer le professeur. Juan n'avait pas fait un pas et commençait un repli hautement stratégique et sécuritaire vers la sortie en saluant avec son chapeau comme l'aurait fait le grand Caruso avant de sortir de scène. Augustina eut un malaise et se laissa choir dans le premier fauteuil.

— Ils m'ont assassinée, répétait-elle.

Avant qu'Ana ait franchi le seuil, Augustina attrapa le portrait de son fils et le jeta sur elle. Le battant de la porte vitrée s'était déjà refermé, le visage de Juan traversa le carreau et retomba dans une pluie de lumière. C'est du verre blanc, pensa Diego, ça porte bonheur. Jamais elle ne revit son fils, comme l'avait prédit Ana. Ce fut ainsi que Diego assista au retour des mariés de l'Atacama et la seule fois qu'il vit son oncle. Plus tard, après la mort de Juan, la petite souris, très âgée, avait accepté de le rencontrer et de lui conter leur histoire.

## 16

Je suis resté longtemps au milieu des planches brisées, à regarder ce que Juan et Ana avaient vu : l'Atacama jusqu'aux Andes neigeuses, avec les tornades de poussière et les mirages. Je n'ai pas vu celui de la grande ville et des arbres suspendus, comme je n'ai jamais vu la dame blanche du désert. J'ai remonté le film dans ma tête, la vie du couple dans cette petite gare minuscule. J'ai retrouvé sous une tôle de la terre noire que l'on trouve nulle part ailleurs qu'à Santa Negra et où poussaient jadis des tomates et des oignons.

Là où je suis, il me semble que je pourrais toucher cette petite gare, juste tendre la main vers elle et la regarder comme une partie de mon histoire. Tout est là, dans le carnet des jours et des nuits de ma mémoire.

Je suis redescendu au bord du Pacifique, vers Arica, non sans une certaine impatience, pour dire adieu à Marcia. Je l'ai revue à L'Eldorado. J'ai payé, comme tout le monde, pour entendre *Mon amant de Saint-Jean* avec supplément érotique et c'était toujours la même surprise quand Marcia se retournait. Cris et sifflements. Mais quelque chose avait terni le regard de Marcia et elle avait perdu ce qui la rendait unique, l'évidence. Elle fut heureuse de me voir, une joie mélancolique. Je l'ai installée confortablement et j'ai patienté un long, très long silence.

Un jour sombre qu'elle pensait à sa mère, Marcia s'était décidée à faire le voyage. Elle ne pouvait pas redevenir Marco avec un visage déjà travaillé, des sourcils épilés, des cheveux sur les épaules, ses oreilles percées et ses mains manucurées alors que pour Alicia, il appartenait au corps de la marine chilienne. Elle n'avait rien d'un garçon avec ses manières et cette démarche qui faisait se retourner tous les hommes. Elle avait un cœur de fille derrière ses petits seins qui attendaient la silicone et son sexe qui disparaîtrait bientôt. Marcia était un peu découragée devant l'impossible, mais sa mère lui manquait et elle avait un besoin physique de la voir, de l'embrasser, de la serrer fort, elle qui l'aimait tant. Elle irait en fille.

José, sa meilleure amie, s'était fait opérer deux années auparavant et connaissait Marcia depuis les quais de Valparaíso. Elle était revenue vers Arica avec Marcia qui amassait des sous pour l'opération. Elles travaillaient toutes les deux sur téléphone, sauf le samedi et certains jours de fête, quand les Indiens descendaient des montagnes avec ceux des mines et des villages d'Atacama. Il y avait les routiers de la Panam et aussi ceux de la ville, naturellement. C'était un peu l'abattage, mais ça valait parfois une à deux semaines de boulot en chambre. L'Eldorado, c'était pour l'art, pas pour le fric, et elle tenait vraiment à son numéro. Marcia ne comprenait pas pourquoi, maintenant qu'elle était femme, José n'arrêtait pas le tapin pour un petit boulot dans un hôtel ou ailleurs.

— Tu me vois gagner trois pesos par mois ? Comment je paie la came, ma chérie ? Et puis, j'aime ça me faire enculer, alors autant qu'ils paient.

Sujet clos. D'ailleurs, Marcia ne savait pas non plus si elle pourrait arrêter. La coke n'était pas trop son trip et elle craignait d'être accro, José lui faisait peur parfois. Elle était dedans depuis l'école. Tu finiras avec une overdose, la jupe relevée sur ton cul. Belle mort, ma fille. Dis pas de conneries. Toujours est-il que José était son amie et qu'elle parlait juste quand il s'agissait des autres.

– Vas-y, Marcia, tu verras sur place. Une fille avec les mêmes yeux et la même bouche c'est plus son fils, elle ne le reconnaîtra peut-être pas, ou bien comme une fille illégitime de son Ernesto qui viendrait demander une reconnaissance de paternité.

Marcia, tremblante, avait pris le bus jusqu'à Inca de Oro. Elle s'était un peu trop maquillée. Elle avait acheté des lentilles sombres qui lui faisaient un mal de chien et mis de la mûre noire sur ses lèvres, une nouveauté de chez Ana Gloria. Elle portait des petites boucles d'oreilles en nacre, un petit corsage vert pomme et une robe jaune pâle qu'elle avait enfilée dans le bus contre la minijupe. En arrivant, elle avait un peu gommé la mûre noire pour faire du stop, c'était mieux. Elle attendait sur la route de terre qui menait à San Bernardo, plein soleil avec son petit sac en tapisserie fleurie sur l'épaule qui contenait du change et une paire de talons hauts parce qu'elle se sentait un peu gauche avec ses petites tennis blanches qui n'étaient pas si petites, du 42, mais pour la campagne c'était plus approprié et confortable, une idée de José, merci.

Elle attendait depuis une bonne heure sous le cagnard avec un carré de soie sur la tête pour protéger son *make-up* sans qu'aucun véhicule ne se décide à virer sur la piste. Enfin, il y eut un grognement rauque qui n'en finissait pas, un camion soufflait dans la côte. Il cogna une vitesse, ralentit et, miracle, quitta le goudron. Le gros minéralier rouge souleva des tourbillons de terre noire avec un impressionnant concert d'essieux mal-traités. Les chromes étincelaient. Derrière le pare-brise, une silhouette sombre était secouée, malmenée par la bête qui rugissait. Les éclats sur la vitre aveuglaient Marcia. Elle espérait bien que ce gros taxi l'emmènerait jusqu'à San Bernardo.

Marcia leva une main timide. Le type devait la voir sur le bord, une jolie fille semblait-il, perdue dans le minéral des collines avec une robe jaune et un petit corsage vert. Il avait dû arrêter de chanter *Por una cabeza* devant l'apparition et il avait hurlé de la trompe comme un dément, renâclé un instant, puis, animal dompté, il s'était cabré après de sourdes plaintes, soumis, en laissant échapper de longs chuintements. Marcia était très émue par le monstre.

La portière s'ouvrit seule sur une ombre en contre-jour. Elle se hissa dans la cabine, soudain happée par une main puissante qui la plaqua sur le siège de moleskine vert. Le cœur arrêté, elle avait balbutié merci, puis elle referma la porte sous les yeux ébahis d'un homme qu'elle n'avait pas osé regarder. On va où ? Ça lui rappelait certains types de clients qui, après l'éternel "C'est combien ?", demandaient "on va où ?". Ceux-là, on les appelait les *cécombiens* ou les *onvaous*. Je vais à San Bernardo. Il avait redémarré le poids lourd sans rien dire avec un sourire plutôt sympathique. Marcia respirait mieux maintenant, il faisait frais dans la cabine avec l'air conditionné et ce parfum de muguet. Deux, trois heures et elle verrait sa mère. Le chauffeur était calme. Il avait seulement demandé le nom de Marcia et elle, le sien, par politesse, Fernando. Elle regardait les montagnes arides, leurs grandes robes mauves et les cactus nichés dans les plis.

C'était beau mais d'une tristesse étrange, *canto a la pampa, la tierra triste,* une pure désolation qui avait été la jeunesse d'Alicia et que Marcia n'avait connue qu'à la mort d'Ernesto, quand sa mère avait voulu rentrer au pays. Elle avait connu son mari à Puerto Montt, quand elle était venue voir une vieille tante éloignée pour du travail et que lui, Ernesto, était marin pêcheur. C'était au début, par la suite il avait accepté un poste au remorquage, c'était moins pénible, mais Ernesto trouvait tout pénible. Il avait fini par trafiquer et s'occuper de deux ou trois filles, c'est comme ça qu'il était mort, mais Alicia avait toujours cru à son marin, même quand il "remorquait de nuit". Marcia s'était laissée aller vers une douce somnolence et souriait en pensant à Alicia qui n'avait jamais rien su. C'est là que Fernando avait tenté une approche en posant sa main sur la cuisse de Marcia. Elle était pourtant collée de l'autre côté de la cabine, la tête appuyée sur la vitre, et il avait dû lâcher le volant pour venir jusque-là. Marcia n'avait pas tout de suite réagi vu qu'elle somnolait et que se faire peloter était son quotidien, un réflexe professionnel en somme. L'autre, encouragé, avait arrêté le bahut sous l'œil perplexe de Marcia qui s'imaginait que le type voulait pisser.

Mais une fois le moteur éteint, il n'y eut que le silence du désert, un peu oppressant, et une immobilité inquiétante pour un gars qui avait une envie pressante. Le temps s'était arrêté et Marcia fixait un bourdon mort, séché, coincé derrière l'essuie-glace. Soudain, Fernando s'était couché sur elle sans prévenir. Prise au dépourvu, Marcia avait hurlé: non, s'il vous plaît, je suis fiancée avec un gars du village et nous allons nous marier. C'était sorti comme ça. Crucifiée sur la portière, elle se mordait la lèvre en attendant la réaction du mâle. Le routier plutôt gentil et pas violeur avait souri et demandé qui était l'heureux élu dans ce village paumé où il connaissait presque tout le monde. Là, desservie par une imagination irréfléchie, elle avait répondu sans reprendre son souffle qu'elle allait épouser Marco Enruez le mois prochain à la cathédrale d'Iquique parce qu'elle était croyante, fidèle en amour et qu'elle ne pourrait jamais faire ça avant le mariage même si elle le trouvait très agréable. Le type s'était étranglé de rire en hoquetant :

— Marco la tante ? Tu rigoles ? La fiotte du Pacifique, le suceur des gradés ? Non, je délire, tu ne vas pas te marier avec cet enculé marin, belle comme tu es ? Personne ne t'a mis au parfum ? Il ne peut pas toucher une femme et il ne te fera rien, Marcia. Ne me dis pas que tu as baisé avec lui ?

— Non, je vous ai dit, je suis vierge.

Le type ouvrait de grands yeux imbéciles.

— Tu déconnes ? T'as au moins vingt ans.

Un coup de bonheur, elle en avait vingt-cinq.

— Je suis presque vierge, j'ai très peu couché, juste avec un camarade de classe et un cousin pendant des vacances à Valparaíso, qui était marin à bord du *Pedro de Valdivia*. J'ai toujours eu peur de faire l'amour.

L'autre était médusé.

— Alors, t'as jamais sucé ?

Marcia ouvrit sa grande bouche et demanda avec l'innocence effrayée de celle qui croit deviner l'horreur proposée : sucer quoi ? Elle y allait tout de même un peu fort. Une trique, ma fille. Mon Dieu, puis elle éclata en sanglots. Lui, avait voulu la consoler, l'embrasser, mais elle avait rouspété, pour la forme. Elle le trouvait vraiment gentil mais ça l'avait refroidie, toutes ces saloperies qu'il avait dites sur Marco. C'était pas très charitable pour elle qui aurait vraiment pu être sa fiancée. C'était blessant et indélicat, merde. Et puis, elle avait eu peur qu'il découvre la vérité et qu'il la frappe comme une salope. Elle en avait assez pris sur la gueule, c'était bon. Il est vrai que les camionneurs qui faisaient la Panam n'étaient pas toujours très regardants, il y en avait même

216

qui n'aimaient que ça et Marcia ne les comptait plus, mais ce n'était pas écrit sur son front à celui-là et une raclée dans le désert à pisser le sang sous le soleil, les fesses à l'air, pleine de foutre parce qu'il l'aurait quand même enculée, ne serait-ce que de rage et sans capote, l'enfoiré, alors non, c'était payer trop cher un petit bonheur. Trop risqué, ma petite Marcia.

Lui, avait repris la route, hébété, il marmonnait je peux pas y croire, non ça je ne peux pas y croire. On ne s'est pas beaucoup vus en fait, tentait d'expliquer Marcia qui se sentait parfaitement ridicule. L'autre fixait la route, il allait la bouffer, elle et la route, mais c'était un bon gars, alors il fixait la piste et dans le rétro la poussière qu'il faisait. En fait, il avait une grosse érection et ça lui faisait mal, merde. Et puis, elle était quand même drôlement bien foutue, les seins un peu petits mais bon… Marcia avait bien senti son désir plutôt ferme quand il était venu sur elle et ça lui avait plu, mais il valait mieux qu'il débande maintenant, si elle voulait arriver chez sa maman. Fernando s'était mis à chanter *Por una cabeza* sans conviction quand le camion fit une embardée et faillit rejoindre la dame blanche au fond d'un ravin. Il débanda. Le reste du trajet fut plutôt calme. Marcia remit un peu de mûre noire sur ses lèvres.

— Elle va m'entendre, la vieille Enruez à propos de son fils, dit-elle pincée, merci, qu'il aille se faire mettre.

— Finalement, je t'ai rendu service.

— Oui, on peut dire ça.

Ils riaient. Marcia lui fredonna sa chanson de scène préférée :

*Comment ne pas perdre la tête*
*Serrée par des bras audacieux..*

Ils venaient d'aborder la dernière côte de San Bernardo qui sommeillait dans les figuiers de Barbarie. A l'entrée du village, il arrêta délicatement son bahut. Merci, lui chuchota Marcia d'une voix suave. Elle était descendue, digne, aveuglée par le soleil. On devait la reluquer, forcément, une fille comme elle, ici, dans ce patelin. Elle fouilla dans son sac et mit ses lunettes noires. Fernando la regardait, un sourire niais peint sur sa gueule en sueur. Il la trouvait craquante, cette nana, et tellement mystérieuse maintenant avec ses lunettes Clara Mendes, une star de la TV brésilienne qu'il adorait. Et puis, elle était incroyablement naïve, cette fille, d'aller se foutre avec une pédale comme Marco Enruez. C'est dommage qu'il ait un sourire de crétin, pensa Marcia, mais un homme qui bave pour un petit cul a toujours un peu l'air stupide. Elle allait claquer la portière quand Fernando lui demanda si elle repartait demain pour Inca de Oro. Avec bonheur, je ne vais pas moisir dans ce bled chez mon ex-belle-mère. Si tu veux, je te reprends demain vers huit heures. Ça marche. Hé! Pense à moi. Elle claqua la portière. Le camion rugit, fit un bond et s'éloigna vers la mine de Potrerillos, là-haut dans le bleuté des Andes, une mine inondée de nitrate blanc avec deux cheminées gigantesques qui vomissaient jour et nuit un nuage de fumée âcre et verte que l'azur avait du mal à digérer. Marcia restait un peu molle à regarder, dans la brume de chaleur et la poussière, le gros cul rouge du camion.

Elle avait un oncle qui travaillait là-bas comme contremaître. Il lui racontait toujours des histoires. Marcia se souvenait de la princesse Huanapa qui avait un mari très jaloux, non sans raison, la princesse était légère. Pour lui échapper et courir plus vite, elle jetait ses nombreux jupons trop lourds au milieu du désert. Le temps les pétrifia et c'est ainsi que sont nées les montagnes de Potrerillos avec de longues pentes plissées comme les dessous de Huanapa. Le grand-oncle qui était malicieux disait que c'était pour cette raison qu'il y avait tant de mines, qu'ils fouillaient inlassablement sous ses jupes pour trouver son trésor et que lui y travaillait avec cet acharnement et un salaire de misère.

Il avait emmené Marcia voir les grosses fourmis rouges dans les robes de Huanapa, des camions comme celui de Fernando à l'assaut du couchant, les hommes le visage étourdi dans l'incendie du jour. Elle n'avait jamais revu son oncle qui était mort étouffé sous une benne de salpêtre après une fausse manœuvre.

Elle avait chaud et soif mais il restait le plus dur. Elle jeta un œil rapide sur les environs, devina des yeux sombres un peu partout. Elle salua poliment le vieux Benicio qui tirait son mulet. Il ne reconnut pas Marco, l'Indien était déjà fait au pisco, toujours vivant, sans âge et silencieux depuis la naissance du monde. Rien n'avait changé ici, tout était figé, peint sur la pierre, comme lui. Il y avait la même odeur de friture, de bouse, de charbon de bois. Elle remonta une petite ruelle, étroite, étouffée par des maisons basses, celle des Torres, des Montaldo, avec un étage et un balcon sévillan, maison de riches pour pauvres. Elle marchait côté ombre en rasant les murs. Deux jambes dépassaient d'une porte avec deux mains sur les genoux, deux grosses mains de paysan ou de mineur. Marcia sursauta. Le type la regarda un moment puis leva son chapeau avec une lenteur infinie. Elle salua. Sergio, le chercheur d'or, reposa son chapeau avec la même lenteur et un son venu de la profondeur d'un filon arriva jusqu'à Marcia, un "mademoiselle" rauque enveloppé d'or puisqu'il s'agissait d'elle. Il ne l'avait pas reconnu et elle, encore tremblante, le remercia du cœur. Il avait dit *mademoiselle*, elle palpitait.

Elle avait de l'affection pour Sergio qui était resté une semaine au fond de sa mine, avec son fils, à boire l'eau qui suintait par le tuyau du compresseur, un boyau de rat, bouché par un effondrement sur une profondeur impossible. Là-haut, ils avaient gratté comme des taupes pendant six jours et six nuits, sans plus d'espoir de les retrouver vivants. La mère voulait les corps pour avoir une vraie tombe chrétienne, pas une entrée de grotte avec une vierge. Alors, ils avaient continué. La mère priait pour un miracle et le miracle a eu lieu. Au fond, le père et le fils creusaient à tour de rôle comme des malades en repoussant terre et roche derrière eux, dans le noir à tâtons, en suivant le câble et la gaine de secours qui envoyait un peu d'air pour ne pas crever, l'enfer. Ils avaient gueulé des heures dans ce conduit minuscule, à se casser la voix sans que personne ne réponde. Pourtant, si l'air passait, la voix aussi, ça monte la voix, bon Dieu, mais rien, on a jamais compris. Ils n'en pouvaient plus, le jeune allait devenir fou et crever avant le père. La sixième nuit, ils ont entendu des coups sourds, ils étaient tapis l'un contre l'autre, le bras du père sur le corps de son fils qui avait déjà la bouche pleine de terre. Ils ne pouvaient ni reculer ni avancer, ni même se redresser. Ils avaient juste la tête levée, les yeux fermés, gonflés par la poussière. Ça dégringolait comme une pluie salvatrice. Les autres avaient vu dans la lumière faiblarde de l'acétylène une main tendue qu'il fallait prendre et serrer pour que les deux d'en dessous ne meurent pas. Malgré les précautions, la terre s'était effondrée et avait recouvert leurs visages. Ils avaient failli mourir étouffés, là, au moment de les sortir.

Les sauveteurs avaient gratté comme des archéologues doucement avec les doigts jusqu'à faire apparaître les cheveux, puis le front et enfin les deux masques inertes qu'on avait tirés au plus vite vers le haut en leur balançant de la flotte sur la gueule pour les nettoyer et leur faire cracher la terre qui leur bouffait les poumons. Les miraculés n'avaient plus de voix à la sortie, d'où ce sombre raclement avec le *mademoiselle* adressé à Marcia. Ils étaient changés malgré le bonheur de revoir le soleil qui n'était pas toujours tendre ici. Ils avaient vu la dame blanche et c'est jamais bon de voir la dame blanche au fond, nulle part d'ailleurs, le fils s'est tué un mois plus tard dans une lénifiante ligne droite du désert d'Acatama. Pas un poteau, pas un arbre pour cause de désert, rien, alors dodo. La dame blanche avait traversé la route, tonneaux à suivre et danse du feu à deux sous la pleine lune. Comme pour tous les autres on avait mis une croix, la plaque de la voiture et une couronne de roses en plastique avec en fond, sur le dos, un scarabée calciné. Le père avait revendu la mine pour peu de choses vu qu'on y trouvait pas beaucoup d'or et que l'éboulement, qui avait été relaté dans la presse locale et même nationale, lui faisait mauvaise réputation. La gloire ne payait pas. L'acheteur, un an plus tard, trouva une pépite de six cents grammes, une fortune. Sergio ne s'en était jamais remis et disait que la dame blanche l'avait oublié, alors il passait des heures, assis, les mains sur les genoux, à l'attendre.

Marcia essuya une larme à cause du rimmel et fit un signe de croix. On l'observait derrière un rideau de broderie nylon. Elle n'était pas tranquille. Au milieu de la ruelle, Marcia fit semblant de fouiller dans son sac, de lire un papier, puis regarda autour d'elle comme si elle cherchait une adresse. La broderie avait bougé. Ines Alba observait Marcia. La sœur du curé était revêche, pas aimable et desséchée par manque de sperme. C'est ce que pensait Marcia, qui se disait que vieillir ainsi, sans amour, sans queue, sans plaisir, avec une chatte acide comme une algue desséchée, devait être une horreur. Elle affronta l'avenir avec beaucoup de courage et vint poser son petit nez sur le carreau. La vieille Alba ouvrit. Marcia dit avec aplomb qu'elle était la nièce de Mme Enruez et qu'elle ne trouvait pas sa maison. Alba, avant de répondre, dévisagea cette jolie personne de la ville, perdue dans une ruelle poussiéreuse de San Bernardo, mais ne la reconnut pas, sauvée. Marcia était libre, ici aussi, d'être femme. Alba sourit, ce qui n'était pas dans son ordinaire. Elle était peut-être devenue gouine en vieillissant. Cachottière, décidément on ne sait rien de la vie des autres. Cela fit pétiller Marcia. Je vous accompagne. Manquerait plus que cela. Alicia est une amie. Menteuse. Marcia refusa poliment sous le prétexte très sincère de faire une surprise à sa m… à sa tante.

En haut de la ruelle, après la dernière maison, sur la gauche, un figuier de Barbarie et un mur de pierre sèche, suivez-le, la maison d'Alicia est au bout. Marcia la remercia abondamment. Trois pas et Alba lui dit qu'elle ressemblait beaucoup à son cousin. Battements de cœur. Elle se retourna avec une tentative de rire perlé. Marco ? Oui, on me dit très souvent qu'on aurait pu être jumeaux. Non, vous êtes plus jeune. Elle est divine, la vieille Alba, quel chou, je l'embrasserais. Trois ans de différence, rajoute la coquette en s'éloignant. A nous, petite mère. Le figuier, le petit mur et au bout du sentier de pierraille, la petite maison à un étage, enfin, un demi-étage pour dormir. Cinq ans qu'elle était partie. En bas du sentier, Marcia vacilla sous la chaleur. C'était l'émotion. Sa mère aimait tellement son Marco, son fils unique. C'était un amour sans bornes, étouffant, dévorant, obsessionnel. Elle souffrait tant de son absence. Je t'aime, maman, ma petite maman, *mamita de amor* qui me chantait des berceuses, me câlinait avec *Perro pequeño*, toi qui m'as appris à coudre les robes de mes poupées. Si tu savais que j'ai dessiné, choisi le tissu, taillé et cousu ma robe de scène, tu serais fière de ton Marco. Pardonne-moi, maman, c'est toi qui m'as faite fille avec une queue inutile entre les jambes, et malgré ton amour, tu ne comprendrais pas. C'est con la vie, merde. Je t'aurais présenté Ange. Je l'aime. Lui n'aime pas les garçons, mais quand je serai une femme, peut-être qu'il acceptera.

Marcia s'était assise sur la pierre blanche qui marquait le jardin stérile. Elle se refit une beauté, un peu de rouge et de la poudre pour la sueur. Elle tremblait, comme si elle avait froid, oui, c'était un petit coup de froid, là, dans la poitrine, avec des frissons dans le dos. Tu ne vas pas être malade, Marcia, dis-moi seulement que c'est la peur. Tu n'aurais pas dû venir, quelle connerie. Il fallait vivre avec le souvenir, sa photo à elle. Il fallait se contenter de regarder le cliché de vous deux sur le bac de Chiloé, au départ de Puerto Montt, avec toi enlaçant ta petite mère, appuyés sur la lisse du pont supérieur. Tu aurais mieux fait de vivre comme si elle était morte. Mais elle est là à cent mètres avec son unique amour encadré dans tous les styles et un gros cœur qui bat pour son futur bel officier. Tu ne vas pas repartir. Si elle te reconnaît, peut-être qu'elle t'aimera quand même et ce sera votre secret à toutes les deux. Elle se redressa, lourde, épuisée déjà, et commença son chemin de croix. Chaque mètre était une souffrance avec un cœur qu'elle ne maîtrisait pas. Calme, Marcia, avance doucement, respire. Dans le rectangle de deuil de la porte, Alicia apparut en blouse bleue. Elle avait dû l'apercevoir par la fenêtre. Elle avait mis une main en visière pour tenter de discerner la silhouette qui s'était arrêtée encore une fois dans le chemin, une jeune femme, pas d'ici, c'était certain. Marcia avait envie de se précipiter dans ses bras et elle était paralysée, heureusement. Tu as l'air fatiguée, maman, moi aussi tout à coup. Alicia regardait cette créature assez belle, un peu vulgaire, peut-être. C'était le rouge sur les lèvres qui n'allait pas, trop noir ce rouge. Marcia était toute proche maintenant, avec un pauvre sourire timide de circonstance.

– Oui?

– Madame Enruez?

– Oui.

– Je suis Marcia…

Et le reste était resté coincé avant la sortie.

– Oui?

– Marcia Rivera, je suis une amie de Marco.

– Oh! Marco, mon Dieu, entrez. Pourquoi ne m'a-t-il pas prévenue, c'est qu'il est loin sans doute, je suis bête, mais vous, c'est gentil, il aurait fallu m'appeler, comment va-t-il, je ne sais même pas dans quel coin du monde il est ni sur quelle mer, alors vous êtes une amie, c'est bien, vous l'avez vu récemment, il avait bonne mine, il mange bien, parce qu'il avait toujours peur de prendre du poids, alors il vous a parlé de moi?

Maman arrête, occupe-toi de Marcia s'il te plaît.

– Merci de me rendre visite, vous n'êtes pas venue exprès tout de même?

Elle versait les questions d'un tombereau, ça roulait sans finir, ce qui laissait à Marcia le temps de se remettre un peu. Elle était émue.

— Asseyez-vous, et moi qui ne vous offre pas à boire avec cette chaleur. Vous devez être épuisée, ma petite. Vous avez trouvé facilement ? C'est un trou, non, pour vous qui venez de la ville, tenez, buvez.

Quelqu'un avait brusquement fermé les vannes et il y eut un long silence qui révéla un criquet sourd, seule vie animale dans cette maison. Alicia était devenue muette. Elle observait Marcia qui buvait d'une seule traite le verre d'eau fraîche en regardant le salon avec une grande curiosité. Elle était vacillante mais revint courageusement vers sa mère et les deux femmes se regardèrent. Alicia, après un profond soupir, prononça "Marco", doucement, "Marco" encore une fois. Marcia était au bord de l'évanouissement, prête à tout déballer. Elle voulait mourir, là, tout de suite. Elle allait se suicider en arrêtant de respirer, d'ailleurs elle ne respirait déjà plus. Marco, répéta sa mère, pourquoi ne viens-tu pas me voir ? J'ai tellement de chagrin de ne pas te serrer dans mes bras. Je t'aime tellement, mon enfant. Vous savez, mademoiselle, je m'ennuie ici sans lui et je voudrais me rapprocher de Valparaíso, je pourrais le voir aux escales.

Marcia avait des vapeurs, elle avait repris son souffle, un peu court, et elle avait ânonné que ce serait une bonne idée de venir là-bas. C'était une ville vivante, belle, où elle retrouverait une vie de femme de marin comme celle qu'elle avait connue à Puerto Montt avec son mari. Ah, Marco vous a tout raconté. C'est bien. Oui, ils pourraient se voir tous les trois, elle lui montrerait tous les secrets de Valparaíso, elle serait vraiment très heureuse. Merci, ma petite, je ne sais même pas votre nom. Marcia, madame. Marcia, c'est joli. Dites, Alicia, je vous le demande. Il faut pardonner à Marco, Alicia, il est très malheureux que son métier de marin l'entraîne si loin de vous. La marine chilienne lui donne peu de permissions et les escales à Valparaíso sont très brèves. Il avait aussi son examen d'officier. Mon Dieu, il est officier et il ne m'a pas écrit. Non, nous attendons les résultats mais cette fois je suis certaine qu'il a réussi. Et puis quand il revient au port, il y a moi, alors venir jusqu'à San Bernardo… Vous n'êtes tout de même pas sa maman, ça ne se compare pas. Non, mais il m'aime, Alicia, il m'aime à la folie. Oh! Marcia, un garçon aimera toujours sa mère avant toutes les autres femmes.

Marco se disait qu'il avait épargné une fichue belle-mère à son improbable épouse. Nous sommes mariés, madame Enruez. La vieille Alicia avait failli s'étouffer. Assise sur la chaise, la tête renversée, comme si elle allait trépasser, elle pleurait que ce n'était pas bien de quitter sa maman pour une autre femme sans qu'on la lui présente, qu'on lui demande son avis, une mère sait toujours ce qui est bon pour son fils. Excusez-moi, madame Enruez, mais nous nous sommes mariés pendant sa dernière permission, c'était dur pour moi aussi et encore plus aujourd'hui que je suis sa femme. Vous l'avez choisi, ma petite. Oui, j'ai choisi et je ne regrette pas, maman. C'est gentil de m'appeler maman. Je suis orpheline, vous êtes la mère de Marco et aussi la mienne à présent. Je veux bien, ma petite, vous êtes mignonne. On voulait venir vous faire la surprise avec tous les cadeaux. Nous avons été très gâtés par les amis, toutes mes copines, les marins du bord et même par l'état-major qui nous a offert des nappes avec des ancres brodées sur chaque coin et des chaînes en bordure. Oui, ils sont très bien, remarqua Alicia avec un air compassé, à la mort d'Ernesto, ils ont été très délicats, ils m'ont dit qu'il s'était noyé en mer alors qu'il avait reçu une lame dans un bar à créatures.

Marco était stupéfait d'apprendre que sa mère n'était pas dupe des activités de son mari. Que faites-vous, Marcia ? Je travaille dans les bureaux du port. Il faudra me faire des petits. Oui, maman. Si c'est un garçon, pas question d'Ernesto, il faudra l'appeler Enrique, j'aime beaucoup Enrique, et si c'est une fille, Alicia comme sa grand-mère. Oui, maman. Mais pourquoi Enrique ? Alicia eut soudain l'air d'une petite fille prise en faute, elle regardait fixement Marcia. Elle hésitait à parler. Marcia, intéressée, l'encouragea. Jurez-moi de ne rien dire à Marco. Voyons, Alicia, entre femmes on se comprend, n'est-ce pas, et Alicia finit par lui avouer qu'elle avait furieusement, passionnément, aimé un Enrique. C'est ce qu'elle a dit, *furieusement*. Marcia était abasourdie. Ce deuxième aveu bousculait toutes croyances et connaissances acquises. Marcia esquissait un petit sourire incrédule qui lui donnait l'impression réconfortante d'une complicité féminine.

Alicia était rouge comme une adolescente amoureuse. Elle semblait soulagée de cette brûlante confession. Elle rayonnait au souvenir de cet homme. Jamais Marco n'avait vu sa mère aussi lumineuse. Il était ému au point d'avoir envie de pleurer, ce qu'il évita. Il se prit à penser qu'une femme comme elle, cette nouvelle mère, serait à même de comprendre l'histoire folle de son fils. Il faudrait attendre un peu et surtout en savoir plus sur le romanesque de sa vie. Marcia était sur des charbons ardents, l'aventure se devinait haletante, mais Alicia était passée à autre chose, estimant en avoir beaucoup dit à sa bru. Tard dans la soirée, après lui avoir montré les photos de Marco, les jouets de Marco, les poupées de Marco, ses poèmes et ses lettres, après avoir dîné en parlant de Marco, Alicia était restée silencieuse, perdue, quelque part, au bras d'Enrique…

Marcia essayait de deviner si c'était dans la jeunesse de sa mère ou bien mariée avec Ernesto, pendant l'enfance de Marco. Aucun souvenir ne surgissait, aucun indice, rien. Elle tentait de trouver la bonne question, pour ne pas froisser Alicia ou la rendre muette pour toujours, ce qui serait une atroce frustration. C'est Alicia la première qui murmura doucement qu'Enrique était un homme délicat, élégant, avec des mains très soignées, d'une grande douceur, qu'il était caressant, patient, qu'il avait toujours un présent pour elle, une attention, un compliment, un sourire. C'était un Argentin de Mendoza, un négociant en vins qui possédait des vignobles sur les contreforts andins. Il venait régulièrement à Valparaíso, Santiago et Puerto Montt, mais il était de santé fragile et l'air de Mendoza était meilleur que celui de Puerto Montt. Ça devait finir comme ça. Pourquoi ne pas être partie avec lui ? Il était marié, moi aussi. J'étais dans le péché, Marcia. Quel péché, maman ? Tu l'aimais, oh, pardon je vous tutoie. Mais pas du tout, tutoie-moi, tu me feras plaisir.

Alicia versait des larmes, sans bouger, une statue qui pleurait. J'ai tellement honte de moi, j'allais prier sainte Rita tous les jours, c'était une grande souffrance, même si Ernesto me trompait et que je ne l'aimais plus, c'était comme une pierre, lourde, si lourde que j'ai voulu mourir, même si je vivais cet amour comme une bénédiction Je lui écrivais de ma pauvre écriture d'illettrée avec l'aide d'une amie handicapée qui avait eu le temps d'aller à l'école. Un jour, la lettre m'est revenue avec la mention "Décédé". J'ai eu un chagrin immense, Marcia, immense, qui me creusait le ventre, me brouillait la tête, mais heureusement il y avait Marco. Il m'a sauvée. Il était tout pour moi, il était lui. Enrique est mort sans n'avoir jamais rien su.

Marcia avait la terre qui se dérobait sous elle, partagée entre le bonheur d'être un enfant de l'amour, celui d'avoir été trompée sur son vrai père et maintenant d'être obligée de l'enterrer sans l'avoir jamais connu. Elle était déchirée entre l'envie de serrer sa mère dans ses bras, celle de lui reprocher amèrement cette duperie et celle encore plus folle de lui dire, elle aussi, toute la vérité. Elle ne regrettait plus d'avoir accompagné Ernesto sans émotion au cimetière marin de Puerto Montt, Ernesto qui se moquait toujours de Marco, de ses manières de fille, de ses poupées espagnoles. Un jour, il en avait ramené deux pour son anniversaire, un couple de danseurs de tango collés face à face, avec les yeux sur pile qui lignotaient d'amour.

Marco était heureux cette fois, et la danseuse avait une si jolie robe, mais le père lui avait demandé de les séparer. Marco avait décollé les poupées, la robe de la danseuse avait glissé, laissant apparaître le gros sexe lumineux du danseur avec un gland rouge qui tournait comme un gyrophare. La mère avait failli le tuer. Mon Dieu, qu'elle avait souffert de son sourire, de ses mots et de la vie qu'il lui avait faite. Un gros coup de chaleur envahit Marcia. Elle eut besoin de sortir, de prendre l'air. Elle prétexta les toilettes. Ses lentilles lui faisaient mal, elle voulait pleurer mais restait sèche. C'était trop, probablement.

Pourtant, elle aimait ce qui arrivait, sa mère amoureuse d'un homme qui avait peut-être été son père. Marcia pensait *peut-être* parce qu'elle imaginait bien Alicia se persuader de cela, avec la volonté que cet enfant ressemble à toute force à Enrique, qu'il soit la preuve qu'elle avait aimé passionnément, et non pas le fils de son mari qui baisait réflexe, aux montées de sève, en la retournant contre l'évier de la cuisine et en poussant des cris de bête en rut. Elle préférait la passivité de la truie sans couinement à la révolte pour ne pas vivre l'enfer et jouir de sa liaison délicieusement coupable. Marcia aimait la version Enrique père mais les deux mâles étaient morts et elle ne saurait jamais la vérité. Alicia avait vécu cet amour comme dans les pages d'un roman-photo, en réinventant sa passion dans l'absence de l'autre, nourrissant leur prochaine rencontre de tous les fantasmes, jusqu'à imaginer l'enfant comme un cadeau du ciel. Il était venu et elle ne pouvait supposer qu'il puisse être celui des violences d'Ernesto. Il suffisait à Marcia de se décider pour la bonne version. Pourquoi douter ?

Elle regardait le ciel pur en titubant, un ciel qui bougeait, une mer d'étoile, comme une houle qui la berçait et lui donnait la paix, un instant seulement, elle en était bien consciente. Il n'y avait pas de réponse, seulement accepter, comme un soulagement, une dérive apaisante. Elle aborderait bien quelque part. Dans la nuit, elle voyait la maison, noire autour du rectangle lumineux de la porte, dans lequel se plaçait parfaitement sa mère assise sous le néon de la cuisine. Elle était immobile, comme dans un cadre, et c'est cette photo d'elle que Marcia emporterait. Maman, qu'est-ce que je vais faire de toi ? Pour moi, je le sais, je suis déjà ce que je devais être. Qu'allons-nous faire de nous ? Tout nous dire. Une femme qui avait connu cet amour-là pouvait tout entendre. Elle quitta son océan d'étoiles sous lequel elle avait navigué heureuse le temps d'une éphémère et aborda en pleine lumière.

Alicia n'avait pas bougé et elle ne pleurait plus. Marcia n'eut le temps de rien dire, sa mère la regardait en souriant et lui confia que seule Soledad, son amie handicapée, aujourd'hui disparue, était dans le secret et que seule Marcia, la femme de son fils bien-aimé qui l'avait écoutée avec beaucoup de compassion et qu'elle remerciait affectueusement, le partageait aujourd'hui. Merci, Marcia, et que veux-tu que je te dise, je suis soulagée, apaisée, mon petit. Maman, je voudrais... Oui, merci parce que j'avais très peur pour Marco, tu sais, peur qu'il tourne mal. C'est vrai que je l'ai couvé comme une poule, même quand il n'était plus un poussin. Je caressais Enrique, je nourrissais Enrique, le berçais, l'enveloppais jusqu'à l'étouffer. Mon Marco, ma petite fée d'amour. Je l'appelais ma petite fée d'amour. Son père, enfin Ernesto, a été si dur avec lui, si méchant parfois. Ton fils, il disait ton fils, comme si au fond de lui il savait, ton fils est bon à rien, on ne peut pas devenir un homme en jouant à la poupée. Je te le dis, Alicia, je crois bien que ton fils est une tapette. Oh! Mon Dieu, une tapette, j'avais si peur à force d'entendre ça que je lui donnais des jeux de garçon, des mécanos, des habits de cow-boy, même une fronde, que Dieu me pardonne, pour tirer sur les oiseaux, mais il a toujours préféré ses poupées, et cela jusqu'à peu de temps avant d'entrer dans la Marine. J'ai essayé de lui faire rencontrer des filles, mais elles adoraient ses poupées et ils jouaient ensemble des heures. C'est vrai qu'il a une belle collec-tion, vous l'avez vue, Marcia. Un jour qu'il était avec les sœurs Portillo, je me souviendrai toujours de cela, c'était la fête de l'école et Marco s'était déguisé en fille avec les habits de l'aînée, rien de mal, c'était carnaval. Ernesto en rentrant les avait vus jouer à la maman avec les poupées et il était revenu en hurlant me dire que mon fils finirait par être coiffeuse chez Monica ou alors qu'on irait le voir, à la promenade du dimanche, tapiner rue Suárez pour prendre du fric et se faire opérer à Arica comme toutes ces fiottes à qui on enlève leur machin pour ne plus être des hommes, mais pas pour être des femmes non plus, puisque ce ne sont que des hommes sans machin, plus bon qu'à se faire enculer, des enculés, voilà, ton fils est un futur enculé.

Marcia était à la torture. Elle aurait giflé, griffé jusqu'au sang ce père adoptif répugnant de bon sens et de culture en la matière. J'ai eu très peur, Marcia, avec toutes ces prédictions, ces insultes, mon fils une tapette, je l'aurais tué moi-même, et vous êtes arrivée comme une bénédiction de la Vierge, la Vierge elle-même. Marcia allait mourir, là, sur le carrelage. J'ai tant prié Marie, et sainte Agathe et toutes celles qui me passaient par la tête, que l'une d'elles a fini par m'exaucer. Je serais presque heureuse si ce n'était l'absence de mon Marco. Cinq années sans le revoir. Je t'aime comme ma fille, mon petit. Les projets de Marcia s'évanouissaient. Alicia se leva, volontaire, et jubila sa décision qui était prise. Je repars avec toi pour Valparaíso. Je vais revivre, quitter ce trou. Je vendrai la maison plus tard, j'ai la pension d'Ernesto et vous me trouverez bien un petit coin chez vous. Marco n'est pas souvent là, je ne gênerai pas et tu seras moins seule. Je m'occuperai des petits. Au bout du bout du rouleau, Marcia-Marco s'était écroulée sur la table qu'elle mouillait d'irrépressibles sanglots. Elle déchirait des "maman" à n'en plus finir, le front sur les restes, les mains crispées sur sa petite robe jaune. Démunie, Alicia la récupéra dans ses bras en murmurant sans fin des "dis-moi tout mon petit, dis-moi tout". Marcia arrêta ses pleurs.

Il y eut un long silence, ponctué de reniflements, puis elle se dégagea d'Alicia, la regarda, éperdue de tendresse, les yeux maquillés au carbone, de grosses larmes bleues jusqu'au menton et la mûre noire comme une moustache. Elle ne savait plus comment assassiner sa mère.

Soudain, elle cria comme une bête. C'était un cri rauque, mâle, celui d'un ventre déchiré, une douleur qui paralysa Alicia. Marco est mort, maman. Il n'y a plus de Marco. Elle regardait sa mère, attendant un miracle. Elle ne savait pas trop lequel, mais peu importait ce que sa mère comprendrait, elle avait tué Marco. Alicia, assise, les mains sur les genoux, s'était vidée de son sang. Elle s'était légèrement affaissée et semblait si petite, tout à coup. Marcia attendait la question. Le silence était une blessure béante, indolore, et le temps, une absence de vie. C'est toi, Marco? Alicia ne posa pas cette question et demanda avec beaucoup de douceur comment son fils avait pu mourir si jeune avec tout ce bonheur qui l'attendait. Marcia, dans le tunnel, guettait la lumière. Elle vint, anémique. Il s'est noyé dans les Magallanes lors d'un exercice de sauvetage il y a deux semaines, on n'a pas retrouvé son corps. Je ne l'ai su qu'hier et je suis venue dès que j'ai pu. Je voulais que ce soit moi qui te l'apprenne, maman, je ne savais pas comment te le dire, c'était dur, tu sais. Comment annoncer cela à une mère?

Alicia se leva péniblement, lourdement, avec le poids du monde et des mensonges. Elle alla vers le buffet sous le regard pétrifié de Marcia, elle alluma la petite bougie, embrassa le portrait de Marco, celui où il était auréolé de roses avec une larme qui coulait et sur lequel était écrit "Pour maman, la seule femme que j'aime". Elle retourna toutes les autres photos et pria. Marcia entendit un chapelet de "pourquoi", à la suite desquels elle vint près de Marcia et l'embrassa sur le front, comme on le ferait pour un mort. Adieu, mon petit, adieu, j'attendrai ici que le Seigneur veuille bien me faire quitter ce monde et rejoindre les deux hommes de ma vie. Sois heureuse tout de même dans ton malheur. Elle prit un crucifix, le portrait de Marco, et entra dans sa chambre. Marcia regarda la porte se fermer sur la dernière image de sa mère et resta seule, immobile jusqu'au petit jour, à regarder les photos retournées. Elle se leva, défroissa sa robe jaune et son corsage vert, regarda longuement Marco dans la glace, passa de l'eau sur son visage, sentit une petite barbe peu visible qu'elle rasa furtivement avec son jetable, se remaquilla, prit son sac en tapisserie et sortit dans l'éblouissement du jour. Elle avait le temps, le camionneur ne passerait qu'à huit heures.

J'avais pris des notes vite abandonnées pour une écoute attentive. Marcia avait perdu son rire et j'avais mal. Rentré en France, qui pourrait dire que je n'étais pas un peu amoureux d'elle ?

Cette fois, Camille n'était pas à son poste. Elle avait fini par consulter un médecin et ce fut l'enchaînement, radio, scanner, diagnostic, chimio, c'était déjà trop tard. Je suis allé la voir souvent, elle était magnifique, la paix elle-même, et j'apprenais cette force qu'elle me donnait. J'admirais sa confiance et l'acceptation de l'inéluctable. La salle de montage était sinistre sans elle. Je n'ai rien fait pendant deux mois que trier des images sans volonté aucune de leur donner un sens. Camille est partie me laissant désemparé. Je n'avais pas d'aptitude au bonheur dans la cité, et me réfugiais au montage pour fuir la rumeur et me gaver d'images.

Je m'enfermais pour tout voir, ne rien perdre de ce que j'avais mis en cage. J'ai retrouvé dans les rushes accumulés les filles des bordels flottants sur le lac d'une forêt engloutie, les putes de Calama en Atacama, celles des chercheurs d'or. Au milieu de Manille, j'avais filmé le chemin de fer qui traverse la grande cité comme une lance brisée, une ville de carton et de caisses en bois, des maisons de papier, des niches à chiens pour les exclus. La

longue chenille bleue déchire les heures avec un hurlement barbare. Tout est fragment et l'instant s'écrit en
effaçant l'instant qui précède. Il n'y a ni passé, ni futur,
rien, juste un tour de manège. J'ai des heures de visages
de femmes, d'enfants, d'hommes dans les mines de
salpêtre, des regards, des joies, la misère sur les décharges,
les villages de tentes sur les immondices, la puanteur qui
me revenait avec les images, la femme enceinte, couchée
sur un lit de récup et qui allait accoucher sur l'innom-
mable. Sa sœur la veillait, hagarde, une clope fichée au
coin des lèvres. Son petit jouait, nu dans la merde, des
déchets en putréfaction avec des nuées de mouches qui le
harcelaient. Il y avait une lumière du soir très douce,
comme une preuve absolue de la beauté du monde.

J'aurais pu indéfiniment continuer à monter des
images et raconter la vie des hommes comme si je tissais
moi-même le monde. Je voulais m'identifier au milieu
des autres, retrouver le chemin personnel, ne serait-ce
que me deviner, me rejoindre, naviguer dans ma lumière.
J'allais dans ma lanterne magique faire défiler en accéléré
toutes ces vies amassées comme un trésor et parmi
lesquelles je cherchais vainement la mienne.

Je n'avais pas revu Diego qui avait fini par vivre à
Santiago et il me manquait, comme Jo. Nous nous écri-
vions, avec parfois un peu de nos voix au téléphone. Un
soir, l'Indien m'appela.

— Tu veux revoir Santiago ?

— Bien sûr, si tu y es.

— Un ami producteur prépare pour une chaîne de
TV une série sur la prostitution. Je lui ai montré tes films,
il veut que ce soit toi. Viens dès que tu peux.

Je revis Diego avec le bonheur que j'imaginais et rien
ne commença avant de tout savoir sur Santiago et la vie

très musicale de mon ami. J'allais au nord, à Arica, avec une petite pensée pour Marcia, puis il y eut Puerto Montt, Valdivia, Valparaíso. En revenant dans la capitale et après quelques nuits agitées dans les quartiers, je rencontrai sur le trottoir de la calle Gijon une grosse femme blonde, les yeux mangés par la came, des seins énormes retenus dans un corsage noir croisé, des talons usés par le macadam et qui tenait dans le creux de son bras un sac en tapisserie. Elle titubait, prématurément vieillie, le regard renversé. Marcia était méconnaissable, mais malgré la déchéance et ces trois années je l'ai devinée. Peut-être parce que je pensais à elle au cours de cette enquête, peut-être que les deux petites boucles d'oreilles en nacre qui lui allaient si bien la première fois que je l'ai vue et qu'elle avait gardées m'ont révélé la petite Marcia qui m'avait tant séduit avec son histoire et dont le charme étrange m'avait troublé. J'ai dit "Marcia", elle a tourné son regard vide vers moi, sans me reconnaître. J'ai répété "Marcia", en lui signifiant que nous nous étions rencontrés à Arica. Elle me regarda longuement et finit par dire: tu n'es pas mon Ange, va te faire foutre. C'est tout ce qu'elle put articuler. J'ai insisté. Les insultes pleuvaient. Marcia s'est mise à hurler. J'ai soudain reçu une bouteille dans le dos, il y eut des bruits de verre cassé, des tessons volaient. Deux types surgis de nulle part m'ont incité à battre en retraite. Mon assistant était au volant d'une voiture, le moteur tournait, on a filé avec une vitre éclatée.

Le lendemain, je suis revenu dans une camionnette pour la filmer. J'ai très peu d'images d'elle, le regard mort, la sueur en sillon dans le maquillage, la poitrine gonflée, soutenue par un soutien-gorge énorme et un corset d'où jaillissaient les chairs boursouflées. Plus tard, avec la patience des chasseurs, entre deux doses et avec un peu de fric pour sa came, elle accepta de me parler. La mémoire lui revenait et elle se souvenait vaguement de ce type à Arica à qui elle avait raconté sa vie. Je lui ai parlé du marin français. Elle m'a regardé comme si elle cherchait quelque chose derrière mon visage. "Je t'ai dit que je l'avais aimé ? Oui ! C'était vrai. Je l'ai aimé comme une tordue. J'ai souvent chialé avec son portrait sur l'oreiller. C'est beau, un amour impossible. Je l'avais supplié de m'envoyer une photo et un jour, dans une lettre pleine d'amitié, il en avait glissé une où il avait écrit 'A mon amie, la sublime Marcia'. Alors j'ai su que lui aussi m'aimait. C'était un amour pur, il n'y a eu que le cœur. Je n'ai jamais fait l'amour avec lui." "Je sais, Marcia." "C'est moi qui ai rompu quand j'ai vraiment été femme. Je lui ai envoyé des pétales dans une enveloppe avec 'Mon amour, ne m'écris plus, je suis morte'."

Après avoir annoncé son propre décès à Alicia, elle s'était fait opérer et n'avait cessé de grossir. Marcia était brisée, usée à vingt-huit ans. Elle avait fini par s'accrocher à la dope sans retour possible et elle finirait bientôt comme José avec une dernière piqûre.

J'étais orphelin d'elle déjà, bouleversé par le naufrage. L'histoire avait sa fin. J'ai passé la dernière nuit avec Diego dans des boîtes à tango. Une femme l'accompagnait, qui semblait ailleurs et buvait beaucoup. Avant de prendre l'avion le lendemain, je suis passé par son studio. Je ne voulais pas qu'il vienne à l'aéroport. Il est resté derrière la vitre avec sa guitare sur les genoux. Il eut un sourire, me fit un signe, et j'ai vu son visage s'effacer dans les reflets des autres. Il faudra nous revoir, Diego. J'ai pris l'avion avec le cœur en serpillière.

## 17

Marcia laissée calle Gijon, j'allais monter son histoire avec d'autres, des travelos philippins, des filles de Calama, Arica, Valparaíso. Une jeune femme avait remplacé Camille irremplaçable. Elle portait un joli nom qu'elle avait du mal à assumer. Aurore se levait très tard et cessait le travail toujours avant la nuit. Je suis resté seul avec mes instants, mes visages, celui de Marcia, magnifique quand elle avait vingt-cinq ans, et celui du désastre de ces derniers mois. Le film achevé, je retrouvais les errances vers des lits froids, des miroirs déformants, pour croire que je continuais le voyage, que j'étais libre.

Je savais comme le marin ivre que j'avais été que je me perdais et pourtant j'y allais, pour paraître, ou peut-être bien mourir. C'était ainsi pour les ports, une perdition voulue, à chercher d'autres ports, d'autres quais, d'autres lits dans lesquels tous les visages se ressemblaient, mais d'où surgissait parfois celui que l'on oublierait plus et c'était pour celui-là que je continuais, pour toutes ces histoires qui construisaient la mienne. Je repensais à Michel et à la mélodie des peuples sibériens, cette note juste, propre à chacun d'entre nous et qu'il faut trouver sous peine de n'être qu'un faux accord. Je n'étais pas désespéré, j'étais rageur.

Pourtant, j'aimais l'harmonie, la beauté qui laissait en paix, les montagnes assises sur les vallées d'ombre. Hors les tournages, je faisais toujours en sorte de dénicher un lieu d'exception où je pouvais me baigner dans l'unité, me marier avec le reste de l'univers. Je pouvais

ordonner un jardin, faire d'un simple bivouac un paradis. J'harmonisais toujours. Ainsi le croyais-je parce que
le paradoxe était que je voulais sans cesse peindre plus
vite que la nature elle-même. Je voulais à toute force
réussir cette harmonie, la dompter, alors qu'il fallait
seulement changer le regard et deviner les énergies à rassembler. J'avais trop d'impatience pour vivre le bonheur.
J'étais déchiré entre le vouloir faire et le faire, entre la
quête et la paix, entre le désir et l'abandon. J'étais, ainsi,
deux à me battre. J'ai vécu par procuration les vies des
autres, je les ai rêvées, mises en boîte, et je cherchais
mon histoire.

Alors, je suis venu ici sur cette montagne pour voir les
bleus sombres des lacs, les yeux des femmes, et filmer le
chaos volcanique au bord de l'océan Indien, la chèvre
blanche sur la lave noire, le visage de la vieille dans le rai
de lumière. Là encore j'ai tout filmé avec une boulimie
incompréhensible. Un jour, posé dans ce village du bas
par un vieux 4×4, au bout du rouleau et las de n'en finir
jamais avec moi, j'ai soudain compris l'inutilité de ma
frénésie. Je l'ai saisie dans les regards indifférents à la
mort de la machine et la désolation du propriétaire, dans
l'élégance des gestes des femmes et surtout dans les
sourires étonnés des jeunes filles à me voir utiliser cette
caméra comme une arme à répétition avec l'intention
sourde de fixer l'impossible. J'ai laissé ce regard étroit
pendre au bout de mon bras comme une prothèse, puis
je l'ai fourré dans le fond de mon sac avec le curieux
sentiment qu'il y resterait définitivement et que ma
liberté commençait là. J'ai regardé comme je ne l'avais
jamais fait et j'ai surpris d'autres lectures dans les yeux
des hommes et des femmes qui étaient là. C'est alors
que je me suis installé là-haut.

C'est un campement désert sur le flan d'un mamelon, à la lisière d'une végétation dense, d'arbustes torturés par le sol de roche. Le premier matin, je découvris ce que la nuit m'avait caché et je suis resté à le contempler. Jour immobile sous les fleuves de sève incessants, comme l'effervescence d'un printemps impatient. La paix enfin. Poser son regard sur le jour éblouissant, regarder l'invisible, des heures, qui s'appuie sur chaque branche, chaque pétale ivre. Se baigner des parfums, ne rien faire qu'être le moment, sans futur, sans griffe du passé, être maintenant, inondé de lumière matinale, sans amertume en bouche. N'avoir à respirer que le silence, le souffle léger comme un murmure, avec la soie d'une brise de mer qui caresse la peau, boire le soleil doucement comme un lait d'or. Même les ombres sont solaires, surtout les ombres, puisque dessinées par la lumière avec du bleu et des restes de nuit. Je regarde une grappe de feuilles, un éventail qui se penche vers les hautes herbes fragiles, des graminées élégantes, hautaines, qui se balancent sous la libellule attentive.

Je domine du regard toute la vallée. Je peux fermer les yeux et tout deviner de mon domaine. Je reste ainsi jusqu'au chant, cette voix du village d'en bas. Je n'ouvre les yeux sur la coulée rocailleuse du chemin qu'après avoir résisté longtemps au désir, le seul qu'il y eût sur cette terre en ces jours, celui de voir la petite silhouette qui monte, sa charge sur la tête, en équilibre sur la pierre chaude. Elle passe de l'ombre à la lumière. Un pas de trois sur une berceuse. Il faut du temps pour gravir cette pente et je reste ainsi à la regarder sans qu'elle me voie. Elle disparaît parfois derrière un bouquet d'euphorbes et je ne vois que ses pieds nus, prudents, et le bas de son tissu. Quand elle disparaît plus longuement, je fixe la fourche d'acacia dans laquelle son visage va réapparaître.

Elle aura ce geste sûr, je le sais, d'écarter la branche et de replacer son fardeau. Elle s'appelle Croyance, comme dans un roman de Depestre. Elle vient un jour sur trois, ce n'est pas régulier, naturellement, elle dépend de ceux d'en bas et des nécessités quotidiennes. Parfois, c'est Djamil ou Mara, dont la Bible dit qu'elle est l'amère. Elle est laide en regard de la beauté des femmes de ce pays, mais si douce avec cet air touchant de désolation d'être ainsi, comme une excuse. Elle fut appelée Mara à la naissance sans déceler la disgrâce du bébé. Peut-être parce qu'elle est née près d'un lac salé, un lac amer quelque part au nord. Qui connaissait la signification de ce nom pour elle : Mara l'amère.

Croyance évite les branches avec des feintes de boxeur, une élégance et une grâce inouïes. J'ai encore des désirs de filmer, c'est inévitable. Croyance, quel portrait de femme. Elle ne parle que très peu le français mais elle ne se soucie ni de son manque de vocabulaire ni du fait que je ne comprenne pas sa langue quand elle décide de m'expliquer quelque chose. Ça me va. Elle tente de me montrer un oiseau, de me raconter une histoire qui la fait rire et, comme j'ai l'œil rond d'un hibou étonné, elle part en cascade et je la suis. Elle s'approche au bord de la falaise devant le promontoire et s'assied. Elle est lointaine, soudain, le dos droit, le profil immobile, seuls ses cheveux se troublent avec la brise. Nous ne voyons pas les ailes noires qui surgissent derrière nous au sommet de la montagne, le couchant nous hypnotise. Il y a soudain une valse d'éclairs, une danse survoltée, des torches d'eau et des voix tonitruantes. Croyance ne bouge pas alors que je lui crie de se mettre à l'abri dans la case. Elle, si vive, prend son temps et finit par se lever et me rejoindre sous l'abri où je viens d'allumer un feu. Croyance est heureuse de cette violence soudaine du temps. Elle est trempée.

Réchauffe-toi. La nuit arrive sans transition. Le ciel est noir, en convulsion, et se déverse sur les montagnes tassées, contrites, hébétées, arbres repliés, fouettés, brisés. Dans l'embrasure de la porte, je regarde le déluge. Il y a une gouttière près du matelas, sous laquelle j'ai glissé ma bassine de toilette. Dans le crépitement de bois sec, le martèlement de la pluie sur la tôle et le grondement de l'orage, Croyance me demande si elle peut rester. Suit un long silence. Elle répète : je peux rester ? Bien sûr, tu ne vas pas redescendre maintenant. Je veux rester. J'ai compris, pas de problème. Non, je veux rester contre toi. Appuyé contre le chambranle en acacia, je continue à regarder la colère d'un dieu très facétieux. Je laisse faire sans chercher d'explications. Je m'entends dire : si tu veux. De toute manière elle aurait passé la nuit ici, autant la passer l'un contre l'autre. Elle se réfugie derrière la moustiquaire dont la particularité est d'avoir des accrocs permettant aux moustiques d'entrer mais pas d'en sortir. Elle revient avec la couverture safran habilement mise qui la fait ressembler à un moine bouddhiste, un très beau moine… C'était réellement imprévisible, cette pluie. Non, répond Croyance réfugiée dans mes bras, je savais. J'ai fait vite pour être là. J'avais peur qu'il s'en aille ailleurs, mais il m'a entendue. C'est doux, cet amour sans amour, que celui du plaisir à donner et à recevoir, ces caresses, la peau, le souffle. Elle n'a pas dit : je reviendrai ce soir ou demain, elle a seulement mis ses doigts sur ma bouche pour que je ne dise rien.

Croyance repart avant l'aube. Elle s'éloigne sans bruit et disparaît derrière le mamelon. J'attends le soleil. Je suis bien, léché par les premières lueurs.

Un hiver de France, j'étais à Madagascar dans un village comme celui du bas. Je descendais une rivière, la

Mangouke. Je filmais avec bonheur les rives sableuses, la joie des enfants à notre passage et ce que j'admirais le plus, qui était ma fascination, l'écoulement du temps à travers les regards paisibles, la femme surprise dans sa tâche, le visage du piroguier. Ce temps, ce temps libre que j'enchaînais dans une petite boîte et que je filmais sans jamais le vivre. Arrivé au village, j'avais continué à filmer, épuisant les batteries. J'étais resté une semaine à attendre un assistant qui devait me rapporter du matériel pour achever le film. J'étais fou de rage parce qu'il y avait toujours des scènes surprenantes, uniques. C'est souvent ainsi. Je me consolais à regarder et écouter les hommes et les femmes bavarder, rire. Il y avait une lumière vivante, une lumière de flammes qui faisait danser les corps et les ombres, pas la lumière morte de l'incandescence électrique qui fige la clarté. C'était un bonheur à vivre sans rien faire d'autre que d'être.

Un soir j'étais resté avec un groupe autour du feu. Il y avait un mélange de mots mystérieux mais je saisissais que l'on pariait, que l'on s'amusait des uns et des autres, dont moi, bien évidemment, avec une gaîté communicative. Un certain Momo me traduisit que c'était décidé, l'une était d'accord pour que je l'emmène en France. Rires facétieux. Personne ne craignait les regards dans l'ombre. Les dernières lueurs achevaient de danser sur les jupons qui frôlaient, sans innocence que celle de la nuit, les corps des hommes assis. Les femmes s'éloignaient furtivement. Celle que je devais "marier" fictivement se cachait la bouche avec son foulard et faisait sonner ses bracelets. Plus loin, elle reprenait un chant dont je ne connaîtrais jamais l'histoire. Je devine, ma belle. Une autre jeune fille très silencieuse, visiblement timide, m'intriguait. Elle se cachait toujours dans l'ombre, les mains sur le visage.

– Pourquoi te caches-tu? lui avais-je demandé.

– …

– Je ne te mangerai pas, tu sais.

Elle avait répondu dans son dialecte et les gens autour de moi avaient ri en se claquant les cuisses.

– Qu'a-t-elle dit?

– "Dommage!"

J'étais resté étonné. Elle ne me regardait jamais. Je la fixais, un peu séduit tout de même, et elle continuait le jeu. Le lendemain je suis passé près d'elle.

– Alors, tu trouves dommage de ne pas être mangée?

– Oui, puisque tu me plais et que je te plais.

– Et si je te mangeais, alors?

– Peut-être que ce serait dommage aussi.

A quatre heures, la petite silhouette claudicante de Mara cherche l'équilibre sur les pierres. Elle a une jambe légèrement plus courte que l'autre et donc une épaule plus basse. Je vais à sa rencontre, elle porte en plus du panier un pack d'eau minérale. Elle est en sueur et cherche sa respiration. Elle me suit sur mon tertre de lumière, pose le panier, s'assied et boit l'eau que je lui offre. Elle me regarde avec une grande gentillesse. Elle est un peu voûtée, les épaules rentrées sur deux seins à peine existants. Elle a une bouche menue, au contraire de Croyance qui a des lèvres charnues, sensuelles. Elle a de jolis yeux avec de grands cils. Ses petites oreilles sont décollées et elle a une nuque très raide. Elle chante joliment. Je l'écoute avec plaisir, elle en est heureuse. Mara n'est pas venue tard et il n'y a aucun orage, le ciel est nu. Je souris. Elle le remarque et une ombre passe sur son visage. Nous restons ainsi un long moment avant qu'elle ne se lève pour partir. Petit geste de la main, merci Mara. Elle claudique, évite une pierre, se retient à une branche pour ne pas glisser et commence à descendre.

Je repense soudain à Croyance, à la perfection de son corps, sa grâce. Tu veux rester ? Elle se retourne et reste pétrifiée. Je redis doucement : tu veux rester ? Je ne saurais dire ce qui m'a murmuré de lui demander cela. Je ne sais si j'attends un non ou un acquiescement. Elle s'accroche à la branche et ne bouge plus. Elle mord sa lèvre et je crois qu'une larme coule sur sa joue. Elle revient doucement, s'agenouille et me dit non, j'ai un mari. Pardon, je ne savais pas. Croyance aussi a un mari, mais il est à la ville. Elle est très belle. Pourquoi tu me veux en plus ? Je ne sais pas, Mara, j'aime quand tu chantes, j'aime tes yeux. Je ne comprends rien à ce que je dis, à ce que je fais, je me sens parfaitement stupide. Mara se lève. Tu veux une femme comme moi ? dit-elle en essayant de se redresser pour me montrer la platitude de sa poitrine. Tu veux une femme comme moi ? Et elle marche en accentuant sa claudication, son dos rond. Elle fait tristement le clown avec une colère calme. Puis, ayant singé sa propre difformité, elle revient se planter devant moi. Tu veux ? Je réponds oui parce que j'en ai soudainement vraiment envie. J'ai envie de cette beauté, de cette douceur douloureuse, de ce corps qui se défend comme il peut, de ce chant en lui, de sa voix et de ces larmes que Mara essuie comme une honte. Je me lève et la prends dans mes bras. Je serre ce moineau très fort et nous restons collés jusqu'au soir. Elle m'embrasse et se précipite dans la pente.

J'aime cette proéminence herbeuse, comme un pubis doré par la fin du jour. C'est mon autel, le sanctuaire de l'éveil. C'est d'ici que je vous écris, depuis des semaines. "Ce qu'on écrit est déjà écrit. Nous sommes des chairs fermées, crispées sur nos amours, nos souffrances, nous écrivons à l'enfant que nous sommes, qui crie dans le noir et à qui personne ne répond. Il faudrait devenir perméable. Le don est la source même de l'infini, une houle de tendresse dans l'éternité", écrivait Michel.

En regardant les dessins sur l'écorce, entre mes doigts posés sur le bois chaud, je commence à voir. Je suis cela, un chant d'oiseau, un insecte dévoré, cette robe d'ombre sous l'arbre de patience, toutes ces robes d'ombre pour un bal de jour. Je suis devant la vie dans laquelle il en est une, la mienne. Je lis ce matin comme l'évidence des lignes d'un livre accompli, serein, des lignes miraculeuses qui s'évanouissent entre les doigts de lumière. Il est des phrases d'un ouvrage que l'on voudrait recopier, retenir comme l'essentiel du sens, du moment, de cet instant de vie, lignes que l'on avale, avide, avec une joie intense et qui vous déposent au-dessus des hommes. Ce matin n'est pas ce livre. Il est le grand livre, celui qu'on ne déchiffre pas et dans les pages duquel je suis. Dans cette course folle à vouloir boire la terre, j'exposais la flamme précieuse de la vie à l'agitation et aux tourments. Ce fut une usure prématurée et c'est ici, avant qu'elle ne s'éteigne, que j'ai compris sur quelles routes illusoires j'avais si longtemps marché.

Quelques nuits et jours plus tard je fais mon sac pour redescendre vers l'océan.

Amélie, tu fus une messagère, un guide que je reconnus sans conscience. Tu m'as ouvert la porte et je suis resté sur le seuil longtemps. Je t'avais créée avec les yeux de l'enfance, les premiers désirs, la part animale. Jo disait qu'il faut apprendre à prononcer les mots que le cœur livre et que les lèvres retiennent. Ce n'est pas toi que je quitte, Amélie, c'est mon enfance, ma naïveté et ce long silence depuis que tu n'es plus. Ce n'est pas une rupture, on ne rompt pas ce qui a été aimé, je m'éloigne, puisque depuis longtemps nous nous sommes lâché la main. Je ne fais que me retourner dans notre sommeil sans le savoir pour revenir un peu chez moi, sans toi. Tu as été cet amour qui brise avec douceur les miroirs, qui dévêt d'une caresse invisible le cœur en armure, et qui me donne cette légèreté, comme une ancre hors le fond qui se dénude d'une enveloppe de silice. Je t'ai laissée dériver mais je sais maintenant qu'il n'y a que moi pour rassembler tant d'amour.

Attraper le bonheur, c'est vouloir retenir un papillon dans sa main ou le prendre avec un filet, disait la vieille Hélène du marais qui glissait sur les eaux noires avec le temps. Tu précipites ton filet sur lui et il s'abîme, c'est un bonheur gâché. Si c'est un bonheur agile, on ne peut le faire prisonnier et l'on court sans fin, c'est une agitation inutile, le bonheur est parti. Parfois, il se laisse prendre sans dommage, il ne s'est pas débattu et il reste bien sage, un peu frileux sous le filet. C'est un bonheur fragile, fatigué, malade peut-être. Si tu attrapes un beau bonheur, un papillon rare, sans l'abîmer, si tu le prends dans ta paume et que tu la refermes pour l'emprisonner, il ne reste que de la poussière de bonheur sur tes doigts, si tu le piques sur un bois il meurt. Il faut être comme l'arbre à papillons, prêt à accueillir le bonheur, et tu verras, il viendra sur ton épaule. C'est un jour de grande fatigue, en fermant les yeux, que je l'ai vu.

Je vais pouvoir achever l'unique vrai film de ma vie avec les images que je n'ai jamais tournées.

Maintenant je suis prêt, je peux écrire au monde et je sais quoi lui dire.

*Cet ouvrage a été composé par
Atlant'Communication
aux Sables-d'Olonne (Vendée)*

*Impression réalisée sur CAMERON par
la SOCIÉTÉ NOUVELLE FIRMIN-DIDOT*

*en juin 2007*

N° d'édition : 0521003 - N° d'impression : 85604
Dépôt légal : mai 2007

*Imprimé en France*

# SOYEZ LES PREMIERS INFORMÉS

## www.editions-metailie.com

### NOUVELLES PARUTIONS
présentation des titres, revues de presse

### PREMIERS CHAPITRES

### CATALOGUE

### VENUE D'AUTEURS
dédicaces, rencontres, débats